JN117531

カバー・本文イラスト
カツヤマケイコ

イヤな気持ちなんて
宇宙の果てまでぶっ飛ばしてアゲル♥

はじめに

こんにちは。アテクシＴｏｍｙと申します。
ゲイで精神科医でコラムニストでもあります。

精神科医という仕事をしていると、
みなさん、本当いろんな悩みや不安を抱えているのがわかります。

たとえば、

・あの人のイヤな一言が気になって心から離れない
・職場や学校や近所の人間関係がわずらわしくて、とってもイヤでたまらない
・気がきかない人、デリカシーのない人と毎日顔をあわせている

・マウンティングをとる人や悪口をいう人に悩まされている
・恋人や家族とうまくいかなくて悩んでいる
・家事や仕事でどうして自分だけ、こんなにストレスがたまるのか
・メールやSNSの返事や対応に疲れてしまった
・悲しいことやつらいことが忘れられない
・病気や老い、お金の不安がつきない

こんなことってありません?

職場や学校や家庭にはストレスがいっぱい。

あんまりストレスをため込みすぎると体調や精神状態に大きな影響が出ます。

アテクシに相談に来る方々も、いつも誰かのことを考えて悩んだり落ち込んだり……。イヤな気持ちがグルグル。そんな方ばかりです。

そんなときアテクシは言ってあげるの。

ストレスなんて考え方を変えるだけでOKよ。

ちょっとしたことで気持ちって変わるわよ。
あーんなにイライラしていたことも、こーんなモヤモヤしていることも、
たった一言で、ゼロになってしまうの。みんなぜんぶ消えてしまうのよね。
イヤな気分をずっともっているなんて人生の大損よ。
わずかなこの人生の時間を不愉快に過ごすなんてもったいないわ。
ストレスフリーで楽しく生きなきゃね。

というわけで、この本はアテクシがいままで書いたブログの知恵袋やお悩み相談をもとに、
そんな「ストレスをぶっ飛ばす言葉」を集めました。
どこでもいいの、アナタが好きなページを開いて、読むだけでいいわ。

言葉って処方箋なのよ。

心にこびりついて離れないイヤな気分も、ちょっとした一言で、スーッと消えてしまうもの。

「人間関係」「職場」「仕事」「家庭」「家事」「ネット」……、あらゆるシチュエーションや環境でストレスを感じているアナタの心がスッキリと軽くなるように、アテクシが言葉を処方いたしました。

いままで悩んだり不安だったことが、「なーんだ」と思えればしめたもの。落ち込んでいた気持ちもスッキリ晴れて穏やかに毎日を過ごせるようになるわ。

大丈夫、アナタが悩んでいることなんて、アテクシが宇宙の果てまでぶっ飛ばしてあげるわよ。

Contents

PART 2

職場の悩みは職場限定！

Contents

PART 3

人と比べず、自分の仕事を味わう！

PART 4

調子の悪いときは思いすぎず！

PART 5

一人でもいいでも、アナタといるともっといい！

Contents

PART 6

毎日の繰り返しに人生の価値がある！

PART 7

子育てはチームプレーよどんどん巻き込んで！

PART 8

家族だからといってしばられる必要はないわ！

PART 9

ネットの言葉にすがりつかないで！

Contents

Contents

PART 1

イヤな人間関係はポイ捨てするのよ！

人間関係のストレスをぶっ飛ばす言葉

世の中には決して相容れない人というのがいるわ。それは、いい悪いの問題ではなく、お互い同士異質な存在なのよ。なるべく接触しないようにするのが一番よ。関わらなきゃいけないときは最低限、淡々と。あとはポイしてオーケー。一方で、「慣れる」というのもある。苦手な相手でも、笑顔であいさつし続けてると気にならなくなったり。さらに博愛の精神で相手を包み込むことができたら上級者よ。

1

「それ本当に気にしてるから言わないで」

イヤなことを人から言われても言い返せないで、ついつい心にため込んでしまうことってあるわよね。

自分だけ「ため込んで」いるのに、言った相手はまったく気にしないで、そのころ、テレビを見て笑ったりしているのよ！

本当、腹立たしいわよね！

イヤなことをため込んでしまう性格って優しい人が多いのよね。

言い返せなくてもいいの！

それってあなたが優しい人だから、それに「ため込む性格」を治すのは時間がかかるわ。
だからまず簡単な方法からやってみましょう。

同意しないことには反応しない。

これだけでいいわよ。
イヤなこと言われたら、**「それ本当に気にしてるから言わないで」**というのが一番いい。

イヤなことを言われたら黙り込んでしまうこと。

話をそらすこと。

これでたいていの人はなんとなく察してくれます。
「イヤな話に反応しない」これができるようになったら、徐々に「NO」を言える練習をしていきましょう。
沈黙って結構な反論なのよ。

2

「イヤなことを言う人と仲良くしないで」

優しいアナタだから心ない友人の言葉に傷ついているのね。

友人の言うことをいちいち気にしてしまう人って多いわよね。気にすればするほど、ストレスになり、苦しくなります。

こういうとき、どうすれば気持ちが楽になるのか?

他人の言動を気にしないための考え方や行動がたった一つあるわよ。


攻撃的な言動をしてくる人を無理に友人だと思わなくていいんじゃないかしら。

知り合いよ、知り合い。

単なる知り合いと思えばいいわ。イヤなことを言う人とは仲良くなんてしなくていい！

基本的に他人の言動を気にしなくする良い方法は、「言動が気にならない人と親しくする」なのよ。

一緒にいて心地よい相手を多く作り、その人の近くにいる。それだけでイヤな言動を目にする機会は減るわよ。

ちょっとぐらい他人のイヤな言動を目にしても、その相手に話のネタとしてふればいいしね。

「えーーーー、何それー、ありえなーーい」って笑い飛ばしてくれるわよ。

3

「攻撃的な人に怒られても気にしちゃダメ！」

突然攻撃的になる人とのつきあい方ってタイヘンよね。

周期的に急に攻撃的になる人っているわよね。

アナタの周りはどうかしら？　どうつきあえばいいのか困ってないかしら？

様々な理由で、急に機嫌の変わることってあるのよね。

たとえば月経前症候群や更年期障害など、性ホルモンに関係することもあるし、躁うつ病など感情の波に伴うものであることもある。大切なのは、性格的なものだとは限らないということね。

そのときの体調や気分で、機嫌が悪くなっていることがある。

不機嫌なときは、あまり近づかないようにするのが一番。

あと本人が攻撃的なときに怒られてもあまり気にしないこと。

相手も感情的に落ち着けば、本人が覚えていないか、「あーーー、やっちゃったなあ」と密かに反省していることがほとんどなのよ。

感情の波が大きいと本人も困っていると思うし、周りもあまり引きずらないように接してあげるのが一番だと思うわ。

4

「怒鳴る人は自分のために怒鳴ってるのよ」

何も悪いことをしてないのに怒鳴られたことってないかしら。

こんな話を聞いたわ。寿司屋の板前さんがとっても怖くて、笑顔は一切ないし、「わさびください」と言ったら「小皿！」と怒鳴られる。客商売としてありえないぐらいだったって。

時々こんなふうにすぐ怒鳴る人っているわ。なんでこうなるんでしょう？　理由として考えられるのは、その人にとって人生が楽しくないからだと思うの。

世の中には不満しか感じられない人というのがいて、良かったことは意識に上らず、不満なことだけが頭に残っていくのよね。

そういう人にとって世の中はつまらないし、周りの人間は自分をイライラさせる存在でしかないのね。

言い方を変えれば、「認知のゆがみ」があるということ。

もし本人がこのゆがみに気づいて治そうとするならば、カウンセリングを受けたり、人の意見を聞いたりして、自分の考え方を変えていくこともできるけど、一番安易な方法として、「周りが悪い」と考えることで、心のバランスをなんとか保つこともできるわけ。

でも、その代償として周りの人は離れていくし、不満の多い人生にはなってしまうでしょう。

うっかりそんな人に当たってしまったら、**いちいちイライラせず「大変な人なんだろうなあ」と心の中で流しておくといいわね。**

5

「合わない相手に〝とことん〟はNG」

合わない人と関わらなくちゃならないことってあるわよね。

意見が合わず、本当は一切関わりたくないけれども、訳あって関わらなければならない相手。こっちの気持ちが収まらないのでズバッと言ってやりたいけど、理解してはくれなさそう……。

こういうときは、基本的に、**相手を説得しようと思わないのが正解**よ。

とことん議論してぶつかるのは、正直、親友とか家族とか恋人とか配偶者とか、コアな人でいいんじゃないかしらねえ。アナタがエネルギーを使ってでも深くわかり合いたい相手だけでいいの。

誰かと理解し合うって大変なことだし、身の回りの人全員にぶつからなくてもいいと思う。

にこにこしながら、あいさつして軽くつきあう程度にしましょう。

最初からそういう枠に入れておけばストレスにもならないいんじゃない？

6

「嫌われたっていいじゃない！」

人に素(す)の自分を見せるのってなかなかムズかしいわよね。

自分に自信がないと、いつも作り笑いをしたり、はっきり自分の意見を言えなかったり。

人前では明るく振る舞っていても、内心はいろいろと考えすぎちゃってつらいって人、実はたくさんいる。

「誰からも受け入れられたい」という気持ちが強すぎて、周りの目をうかがうようになっちゃってるのかしら？

でもね、みんなに受け入れられるから幸せとは限らないのよね。

みんなに受け入れられなくても、自分が自分らしくいられる瞬間があれば、幸せに感じられるのよ。そのためには、肩の力を抜いてつきあえる人を探せばいいわ。

逆に言えば、そういう人が一人いれば、たくさん友達を作らなくても安心できるの。

このときに大切なことは、**嫌われてもいいと開き直ること。**

どんなにがんばっても、みんなに好かれることはできないの。

そして、みんなから嫌われることもない。

もっと肩の力を抜いて、様々な人との出会いを楽しみましょう。

そして、みんなから好かれようとするエネルギーを、少しでも自分磨きに向けましょう。

何かに一生懸命になっている姿は、自然と素敵な友人をひきつけるわ。

他人の視線ではなく、「自分」にもっと目を向けてね。

7

「失礼なヤツには関わらないで！」

失礼な言葉を言われて頭にくることってない？

失礼な言動をする人というのは、それが失礼であるという自覚がないの。自分では、面白いとでも思って言っているんじゃないかしら。

なので、そのたびに腹を立てていたら、上手くやっていけないわ。

失礼な言動をする人への対処法としては、

①**極力関わらない。**

②**関わらなきゃいけないときは、どうしても我慢できないことだけ伝える。**

これで充分よ。
相手が変わってくれるのを期待しちゃダメ。変われるものなら、とうに変わっている。
変われないから、その人は失礼なのよ。
はなから期待しないこと。それでＯＫ！
失礼なヤツには関わらないこと！

8

「イライラのリンクを追え」

他人への怒りを落ち着かせたいと思っていません？

他人にイライラッとさせられることってあるわよね。

しかし、他人の行動は自分の行動とリンクしているの。

ある人がわがままになったら、アナタがわがままを言える環境にしているとも言える。

逆に言えば**他人の行動は、アナタ次第で変わる**可能性がある。

イライラッとしたら、一呼吸おいて、どうしてこの人はこういうことをするのだろう、
私にだけ？　誰にでも？　今日だけ？　いつも？　何かのアピール？　などなど考えてみ

て。

良いことも悪いことも、全てつながっている。

他人のイラッとさせる行動も、何かの結果なのよ。

そう思うと、そんなに腹も立たなくなるわよ。

それにどうしたらいいかも見えてくる。そうじゃないかしら？

9

「イライラは早めに切り上げる」

他人にイラッとしないコツについて書いてみるわ。

一番大切なことは**イラッとしはじめたら、早めに切り上げること**です。

イライラしはじめたのに、そのまま我慢してもイライラが募るだけよ。

そうすると、その人を見るだけで条件反射的にイライラするようになるわ。

それはお互いのために良くないから、その日は早めに切り上げましょう。

たとえば誰かと飲んでいて、愚痴を聞くことになったとします。

もうこれ以上聞きたくない、イライラとなったら、その時点で切り上げるのよ。

粘って聞いていてもきりがないし、アナタは相手のこと嫌いになっちゃったり、相手はアナタに甘えたり依存したりして、お互いの関係のためにも良くないのよ。

他人と接するときは、極力心地よく過ごす、これが一番大切なこと。

せっかく貴重な時間をお互い割いているのだから、気持ちのいい時間であるようにしましょう。

10

「苦手な人には あいさつだけするの！」

苦手な人を克服したいアナタに。

苦手な人がいると、どうしてもその人を避けがちよね。できるだけ顔を合わせないようにしたり、話さないようにしたりするわよね。

だけど、苦手な人を避けていると、ますますその人のことが苦手になってくるの。

そうするとまた出くわしたときの衝撃が大きくなってしまって、さらに逃げたくなる。

それに、苦手な人を避けていると、相手にもそれが伝わって、ますます険悪な仲になってしまうわ。

一方で、人間はどんなことでも慣れるようにできてるわ。

苦手な人でも、しょっちゅう接していると、楽になってくるのよ。

なので、**苦手な人を克服したいのなら、敢えて避けたりしないで、こまめにちょっとだけ接するようにする**のよ。あいさつだけはするとかね。

苦手な人だからこそ、逆に**避けようとしないで慣れる**ことよ。

そうしたほうが、アナタにとって居心地の良い環境を作れるかもしれないわ。

だって、苦手な人を避けてるときって余計な神経使って疲れちゃうでしょ？

それに、ひょっとしたら相手と仲良くなれたりもするかもしれないわ。

11

「余計な一言を言う人は犬がワンと吠えるのと同じようなもの」

いつもイラッとする一言を言ってくる人っているわよね。

一言多い人とか嫌味な人とかね。

言われたほうは、そのたった一言でモヤモヤしちゃうしイヤな気持ちになるわよね。

でも、その一言に対して「なんでそんなこと言うの？」って噛みついても、だいたいお互いイライラするだけで終わるの。

なのでスルーするのが吉。

スルーの方法だけど、イラッときたら**「これはこの人の口癖だから」**って心の中で思うようにする。

イラッと来たら、すぐこれは口癖って条件反射的に考える。

イラッとする一言をついつい言っちゃう人って、あまり深く考えてないのよ。

もう**犬がワンと吠える、ヤギがメエと鳴く、そういうレベル**のことだと思えば、流しやすくなると思うわ。

それに、イラッとする一言を言ってくる人って、なにかしらストレスがたまっていて精神的に余裕がないとか、コンプレックスの裏返しでそういうことを言ってしまっている可能性もあるわ。

どっちにしても、こちらは寛大な心で聞き流してあげましょう！

12

「見下してくる人にはボランティア精神で見下されてあげる」

自分を見下してくる人とどうつきあえばよいのか。

何かと人を見下してきて、ダメだししてくる人っているわよね。一言一言、イラッともするでしょう。

人によっては、見下してきた相手の言葉を真に受けてしまって、落ち込んだり自信がなくなったりするでしょう。

でもね、見下す人って、見下したいから見下しているだけなの。

そうじゃないと、自分のプライドが保てないの。

見下してくる人に限って自分に自信がない人が多いのよ。他人を見下すことで自己肯定感を高めているの。**決してアナタが劣っているから見下されてるってわけじゃない**のよ。

相手が見下したいから、アナタがどんなに完璧でも、何かを見つけて見下してくるでしょう。

だから、放っておけばいいのよ。

アナタが見下されるおかげで相手の心が安定するんだから、「ボランティアやってあげてるんだ!!」ぐらいの気持ちでいたら気も楽じゃない？

真に受けてしまったらダメよ。

アヒルがガアガア言ってるわ、って思っていれば大丈夫!!

13

「急に冷たくされても慌てないでいいわ」

仲良しから急に冷たくされたときにどうするのか。

それまで親しくしていたのに、急に冷たくなるなど、理不尽なことをする人っているわよね。そんなことされたら、すごく戸惑っちゃうわよね。

だけど、どれだけ考えても理由が思い当たらない。こういうときは、気がついていないだけで自分に非があるんじゃないかと考えて自分を責めがちよね。

でもね、ちゃんとした人なら、いままで仲が良かった人に、急に冷たくするなんてことはあり得ないの。

アナタにもし変えてもらいたいことがあったら、ちゃんとそれを口にして伝えるべきでしょう？

急に冷たくなるのは、相手の気持ちを考えていない行為よね。

はっきり言って非常識な人なのよ。

だから、あんまり「自分が何か悪いことしたんじゃないかしら」と責め立てる必要はない。

そして、相手の態度に反応して感情的になったり、相手と同じように自分も相手に冷たくしてはダメよ。

あくまでも普段通りに、何事もなかったかのように振る舞うこと。

相手からアクションがあるまで、**気にしすぎない。**

そうすれば自分の心を守れるわ。

14

「無視する相手には笑顔とあいさつで対抗してね」

無視されて悩んでいるアナタに。

いじめの中で、よく無視をするというのがあるわね。無視というのは精神的に大きなダメージを与えられるものだけど、ここではこういうときのかわし方について考えてみます。

①気にしない

基本的に無視というのは、幼稚な対応方法です。

正当な問題点や不満があるのなら、直接言えばいい。

相手はそれができない人なので、あまり相手にせず、自分は大人の対応をすればいいの。

仕事であれば、仕事が成り立つ最小限の関わりをするようにして、深入りしない。

プライベートだったら、もう最初から関わらない。

②笑顔とあいさつだけは欠かさず

無視されても全くひるむことなく、笑顔とあいさつだけはしっかりしましょう。

人間って明らかに自分が悪者にはなれないものなの。

さわやかに笑顔であいさつする人間を無視すれば、明らかに悪いのは相手。

それに、そんな光景を他人が見たら、相手の評判が落ちてきちゃうでしょ。

だから、相手も無視し続けられなくなる。

そして、**「アナタの無視攻撃はなんとも思ってませんよ」**という意思表示にもなります。

がんばって無視しても相手に効いていないのなら、彼らも無視し続けるのがあほらしくなってきます。

15

「イヤな人はわかり合えないからイヤな人なのよ」

イヤな人と関わるときってストレスになるわ。

どうしてもイヤな人と関わらなきゃいけないことってあるわよね。

そういうとき、ストレスを最小限にする方法を書きますわ。

一番大事なのは、わかってもらおうとしないことよ。

イヤな人と関わってストレスを感じるとき、「なんで、こんなことするの？　なんで、こんなこと言うの？」などと思ってることがほとんどよ。

でも、わかる人はわかります。

何言ってもわからない人はわからないのよ。何言ってもわからないから、アナタにとってイヤな人として、そこに存在しているわけです。

だから、これ以上わかってもらおうと努力しても仕方がない。

淡々と最低限関われればそれでいい。

わかってもらいたい、その気持ちを手放すと、ちょっと楽になるわ。

16

「大目に見てあげてね」

人間関係のストレスを最小限にする技について話します。

この技は最難度のウルトラC級の技です。アテクシもただいま修行中です。

何をすればいいかというと、**どんな人にも愛情をもって接する**ことです。

どんな人も、この世に生を受け、その人の肉体を操ってがんばって生き続けている。

そんな意味ではみんな仲間なんです。

とはいっても、誰彼かまわずラブラブになりなさいって意味じゃないわ。

必要な喧嘩はしなきゃいけないし、主張すべきことはしなければいけない。

でも**誰だって、その人の人生をがんばって生きてる。**

その中でたまたま自分にとって許せない言動をされたりすることもある。

ただそれだけのことなのよ。

そうやって考えてみると、少しイヤな言動をされても大目に見ることができるんじゃないかしら。

自分も相手も同じ人間で、完璧じゃないってこと。

イヤな相手でも、自分と同じように悩みながらも人生を生きている同士だと思えば、「今日もお疲れ様。いろいろ大変だけどお互いがんばろうね」なんて思えたりして。

17

「きつい言葉は優しい言葉に変換よ」

言葉のきつい人っているわよね。悪気があるのかないのか、いちいちきつい言い方をする人。

たとえ言う側に悪気はなくても、言われたほうはめげそうになるわよね。

こういう人と接するとき、**頭の中で相手の言葉をソフトに言い換える癖をつける**とちょっと楽になるかも。

たとえば、「いつもぼーーっとして何考えてるのかわかんないのよ。しっかりしてよ」と言われたら、「返事をはっきりしましょうね」って言い換える。

「なんでこんなこともできないの？」って言われたら、「この作業はできるようになろうね」って言い換える。

これを続けていると、ひょうひょうとしたキャラになるので、少し楽になるわよ。

不思議とそういうキャラを確立すると、相手もぎゃあぎゃあ言わなくなるのよね。少なくとも、きつい言葉を投げて相手のダメージを見たいっていう悪趣味は撃退できるわ。

18

「悪口は言ったもん負けなのよ」

悪口への対応方法。

悪口というのは、基本的に言ったもん負けなのよ。

悪口を言っている人は味方を増やしているつもりかもしれないわ。でも、実際はその逆。悪口を言えば言うほど、「この人は悪口が多い人だな」と思われ、周りの人は引いていってしまうの。

だから、ちゃんとわかっている人は、悪口を言いふらす人とは距離を置くわ。その場では合わせているように見えても、心は離れていきます。

だから、悪口を言われても、相手にせず、気にせず、言い返したりせず、普通通りにしていればいいの。人の評判というのは、言葉ではなく、行動が作ります。

だから、アナタが信頼される行動をとっていれば、必ず悪口は自然淘汰されていくわ。

言いたい人には言わせておけばいいのよ。損するのは相手だから。

19

「悪口は言い返さないことね！」

自分の悪口を言う相手に心折れそうになることってあるわよね。

基本的に、**悪口は言い返さない。**

言い返すと、悪口をどちらが始めたのかわからなくなって、自分の評判まで下がっていきます。

アナタも悪口を言う人になってしまうのね。

アナタが相手にしなければ、相手が言えば言うほど、周囲は「言ってるやつがやばいよね」と認識してくれるわ。

もちろん周囲は適当に合わせるので、本人はそんな風に自分がやばいやつだと思われてるだなんて気がつかないけど。

悪口言ってるのを見たら、**「あ、また自爆してる」**と心の奥底でくすっと笑っていたら心が折れる必要もないと思うのよ。

だから気にしないで大丈夫よ。

20

「嫌われることに過剰反応しない」

他人に嫌われたんじゃないかと思い、凹むときってないかしら？

そんなとき、一番大切なことは相手が公明正大だとは限らないということ。

相手だって人間。いろんなことが重なったときには、嫌いじゃなくても不機嫌になることもある。感情的な人だったり、気まぐれな人だったりすることもある。

相手が冷たい＝自分が悪いと即時に考えないことよ。

嫌われることに過剰反応しなくていい。

アナタにできることは、相手への気づかい、自分の魅力を磨くことなど、自分の行動に関することだけ。

やれるだけのことをやってるのなら、あんまり相手の顔色をうかがわず、肩の力を抜いて相手に接しましょう。

そうすれば人は自然と集まってくるわ。

でも、誰もがアナタの魅力をキャッチできるわけじゃない。

「来るものこばまず、去るもの追わず、淡々と素敵な自分を目指す」

こういうスタンスでいればそのうちいいことあるわよ！

21 「嫌いな人のことは考えない」

嫌いな人のことを忘れるシンプルな方法。これはとっても単純なこと。

嫌いな人のことを考えそうになったら、好きな人のことを考えればいいのよ。

ぼーっとして、つい嫌いな人のことを考えてイライラしそうになったり、モヤモヤした気持ちになったら、「あ、いかんいかん」とすぐ好きな人のことを考える。

仕事だったら嫌いな「こと」も考えなきゃいけないけど、嫌いな「人」のことを考えて得することなんて何もないしね。

この習慣が身につくと、嫌いな人のことなんて忘れられるようになるわよ。

あともう一点加えるとしたら、そんな人とは接する時間、日数を減らしましょう。関わらなければ、自然と考えなくなるわ。

PART 2

職場の悩みは職場限定！

職場のストレスをぶっ飛ばす言葉

職場にいると、世界が職場だけって感じになるから視野が狭くなっちゃうけど、思い出してほしいのは、上司も同僚も所詮他人ってこと。アナタが「この人といると疲れるな」と思ったら適当に距離あけてね。悪口が聞こえてきても、鳥の鳴き声やラジオの音くらいに思って、「何か言ってる」と遠巻きに見てましょう。職場の問題は、永遠に続くものじゃない。期間限定、場所限定。決してストレスを持ち帰りしないでね。

22

「あれは人間の言葉じゃない、鳥の鳴き声よ」

職場で悪口を言ったり、誰かを仲間外れにしたり、人を馬鹿にする態度をとるのが生き甲斐みたいな人いるわよね。男性や若者の中にもいるけれど、よく聞くのはおばさん達の話。

直接自分が攻撃されなくても、そういう職場の雰囲気、堪えられないわ。

もしアナタがそういう状況に置かれたら、おばさんたちを**「またピーチクパーチク、ガアガア言ってるわね」と思って遠巻きに見ているのがいいわね。**

いちいち言葉として聞いてると疲れるし、気持ちもよどむから、「何か言ってる」ぐらいの扱いで大雑把に頭の中で要約しちゃいます。

そうすると、気持ち的にちょっと遠くから眺められるのよ。

まともに聞いたってどうせ大したこと言ってないから。

どうしてもスルーできないなら、やめちゃえばいいわよ。

いなくなった人のことはすぐみんな忘れるし、「悪口おばさんズ」に白い目で見られたってべつにいいじゃない。

みんなに良く思われたいと思うと、疲れるばかりか、大切な人にイヤな思いをさせることもあるのよ。

良くする人と、嫌われてもいい人、ちゃんと区別して行動しましょ。

23

「笑顔とあいさつで撃退してみて」

悪口もさることながら、嫌味もまた面倒な人の趣味の一つ。

悪口のように直接的でないぶん職場でも言いやすいのじゃないかしら。

言葉は温和でもその裏にミッチリ針が仕込んであるという知的な手口。

「仕事が遅い」は「すごく丁寧」、「不格好」は「個性的」、「態度が悪い」は「親の顔が見たい」と来るから、気づかない人は幸せです。

嫌味に気づかないふりで、ヘラヘラできれば最強ね。

でも、そうはいかない。

嫌味を言われるたびに、悲しくなって、言い返したくなるけどぐっと堪（こら）えている。

こういう人がほとんどじゃないかしら。

アテクシからのアドバイス。

耐えようとすると「耐えられない」って思うから、ヘラヘラしてるほうがいいわよ。

こういう人につらそうな顔見せると「してやった！」って思われるだろうし、それもシャクじゃない？

で、何度か顔見せてるうちに、だんだん風当たりは弱くなってくるものよ。

笑顔とあいさつだけ用意して、あとは気にしない。

言い返すより、気にしない。

これで大丈夫。

24

「心配や励ましの裏にある本音」

たとえばこんな話。

精神的な疾患で休職する際に、同僚に「あなたなら、気合でがんばれる」と言われた。自分のことを心配してくれて、いろいろ励ましてくれるのは嬉しいのだが、励ましがどんどん負担になってきて、焦ったり悩んだりしてしまい、気持ちの整理がつかなくなってきた。

「ありがたいけど負担」だって。

これはねえ、ぶっちゃけ、この同僚の本音として、多分「あんまり休んでほしくない」

というのがあるのよ。

ただ直接アナタにそれを言えないものだから、心配や励ましの形をとるの。

だからなんとなく負担に感じるのね。

こういうこと言われたら「ありがたいけど」なんて思おうとしなくていいのよ。負担は負担なんですもの。割り切って、耳に入れないようにしましょう。

場合によっちゃ携帯切っちゃってもいいと思うわ。

職場にいると、世界が職場だけ、って感じになるから視野が狭くなっちゃうけど、なんだかんだ言っても、同僚がアナタの人生の責任とってくれるわけじゃない。

アナタが**「この人といると疲れるな」と思ったら適当に距離あけましょう。**

25

「自慢話は大目に見てあげて！」

よく自慢話をして、周りを困らせてる人っているわよね。

あまり関わり合いにならなければいいんだけど、たいてい自慢の多い人って、職場の上司だったり、家族だったりして、そうもいかない。

こういうとき、

自慢話をする人の心の中には
大きなカブトムシを捕まえた少年が宿っている
と考えてみましょう。

大きなカブトムシを捕まえて、
「ほら凄いでしょ、見て見て？」
って言ってる少年。
自慢の内容がカブトムシじゃないだけで、本質的にはあまり変わりないわ。
そうやって考えると、可愛く見えてくるじゃない？
人間完璧な人はいないんだもの。
自慢話ぐらい大目に見てあげましょうよ。

PART 3

人と比べず、自分の仕事を味わう！

仕事のストレスをぶっ飛ばす言葉

仕事上のイヤなことって、「しなければいけない」と思うからつらいの。義務だと考えずに、ゲーム感覚で「攻略する」って思ってみて。道具をそろえたり、攻撃の方法を工夫したり、地道にレベルを上げて、嫌味な上司や不得手な仕事をクリア！　といっても誰だって能力の違いはあるから、周りに惑わされず、良いと思うことは貫いて、自分にとって最高のパフォーマンスを出せたら、それが金メダル！

26

「相手には不満をポジティブに伝えなさい」

相手に不満を伝えるのが苦手な人っているわよね。
今回はそういうときのコツをお伝えするわ。

①**ネガティブなことをポジティブに表現する**

物は言いようです。
たいていのことはポジティブに言い換えることができるわ。
たとえば
「しつこい」→「几帳面だ」

「ずぼら」→「おおらか」

「怒りっぽい」→「感情表現が豊か」

嘘にならない範囲でポジティブに言い換えましょう。

②ネガティブなことを伝えるときに、相手のいいところも言う

③相手が悪いのではなく、問題点があるのだと伝える

①②③を合わせ技にすると、こんな感じになるわ。

たとえば、

「アナタはしつこくて嫌い」

「アナタはマメでそこがいいと思うんだけど、時々、何も言わず任せてくれると私ももっと嬉しいな」

てな感じね。

27

「「直属の上司」ばかり見ないで」

仕事上、一番かかわりがあるのが「直属の上司」ってやつよね。

この上司に恵まれないとアナタの仕事環境は最悪になります。

たとえば、嫌味を言ってきたり、揚げ足ばかりとってくる「直属の上司」。

どうすればこういう上司と上手くつきあっていけるんでしょう。

ひとつには、**上司は他にもいる**、ということ。

直属の上司の対応に問題があっても、見ている人は見てくれていると思うわ。

どうしても仕事の現場にいると「直属の上司」の言うことだけが気になるけれど、「それ以外の上司」もいるのよ。

それに自分が努力していることは決して無駄にならないわ。

むしろ、アナタの社会的スキルを上げる練習だと思いましょう。

実際の業務が回らないなら、自分だけの中で我慢せずに、他の上司にも相談しましょう。

このときのコツは、感情的にならずに「こういう点が業務の支障になっている」と具体的なポイントに絞り込むことよ。

もうひとつ、後は**「この人はこういう人だから」と思って、嫌味などは聞き流す**ようにしましょう。

「今日も嫌味飛ばして相変わらず元気だなあ」みたいに、他人事のように心の中でつぶやいてみるのよ。

28

「ボスキャラを攻略せよ！」

仕事上、どうしてもイヤなこと、苦手なことってあるわよね。特定の人との人間関係だとか、不得手な仕事だとか。

そういうとき、どう考えれば楽になるか教えちゃうわ。

それは、

イヤなことを「攻略」する!!

と発想を変えることです。

イヤなことを「しなければいけない」と、義務だと考えるから、つらい。

そうじゃなくて、「イヤなことを攻略する」のよ。

ちょうど、ゲームでボスキャラを倒すときのように。

ボスキャラを倒すには、地道にレベルを上げたり、いい道具をそろえたり、攻撃の方法を工夫したり、いろいろ考えて攻略するでしょ。

でも、それがつらいとは思わないし、楽しいからゲームをするわけでしょ。

29

「仕事があるから休みは楽しいの！」

仕事がどうしてもイヤなときの考え方について話しますね。

もちろん、仕事が好きになるように、考え方や取り組み方を変えるのが一番。

だけど、それは簡単なことじゃないし、時間もかかる。

なので、とりあえず、こう考えましょう。

休みの日や、遊びが楽しいのは、仕事があるからです。

人間やることがないと、結構つらい。

仕事があるからこそ、発散させるのが楽しいのよ。

ずっと遊んでいても、そのうちやることがなくなります。

やるべきことがないと、生きていることが暇つぶしのようになっちゃうわ。

ちょっとイヤなことがあっても、仕事という義務があるから、休みの日にやりたいことも出てくる。

仕事はアナタに与えられた社会からのお役目。

イヤだなあと思っても、なんやかんやで乗り越えていけば、そのうちいいこともあるわよ。

30

「時間はコマ切れで考えてみて！」

お仕事が始まる月曜日、気分が重くなる人って多いものよ。
そういうときの解決方法を教えちゃいますわ。
人間、知らず知らずのうちに物事を一週間単位で考える癖ができています。
なので、月曜日は気分が重く、週末に近づくにつれて楽になってくるのよね。
これを解決するには、

「時間をコマ切れで考える」

癖を身につけるのがオススメ。

たとえば、月曜日でも、ランチの時間があったり、仕事終わってからショッピングモールにちょっとした買い物に行ったり。

あるいは、自宅でゆっくりお風呂に入ったり、晩酌を楽しんだり。

時間をコマ切れで考えると、楽しい時間も見えてくると思うの。

一番理想は「その日暮らし」の感覚。

会議の多い月曜日だって、ずっと仕事してるわけじゃない。

時間を細かく見ることで、どんよりした気分も少しは楽になるわよ。

31

「べつの何かで埋め合わせしちゃダメ」

何かが上手くいかないとき、それを他のもので埋め合わせようとする人がいます。
たとえば、仕事が上手くいかないのを、恋愛で埋め合わせようとする。
恋愛が上手くいかないのを、仕事で埋め合わせようとする。
仕事が上手くいかないのを、遊びで埋め合わせようとする。
友人関係が上手くいかないのを、恋愛で埋め合わせようとする。
家庭が上手くいかないのを、仕事で埋め合わせようとする。
などね。

でも、これだと最終的には上手くいかないのよ。
肝心の問題点がほったらかしになっているから。
なので、
他のもので埋め合わせることはやめましょう。
仕事が上手くいかないときは、仕事で埋め合わせる。
恋愛が上手くいかないときは、恋愛で埋め合わせる。
家庭が上手くいかないときは、家庭で埋め合わせる。
こういう意識をもつだけでだいぶ変わるわ。
上手くいくときは、何事も上手くいくものなのよ。

32

「仕事は終わらせるものじゃなく「楽しむもの」よ」

次から次へとやることに追われて、せかせか動いてしまう人っていないかしら?

でも、やらなきゃいけないことって、次から次へと出てきて、焦ったからって全てやることがなくなるわけじゃない。

だから、**仕事を終わらせることではなく、その仕事自体を楽しむようにしたほうがいいと思うわ。**

掃除なら、掃除自体を楽しむ。

掃除すれば部屋がきれいになるし、無駄なものは捨てられる。

家具の配置を換えて、気分を変えることもできるし、空気もきれいになる。
料理なら、下ごしらえや、味付けを変えてみたり、新しい料理にチャレンジしたり。
終わらせることだけに集中してしまうと、それは単なる「義務」になってしまう。
終わらせることではなく、その仕事自体を味わうようにしましょう。
そうすると、せかせか動きすぎることもなくなるし、余裕も出てくるわ。

PART 4

調子の悪いときは思いすぎず！

病気のストレスをぶっ飛ばす言葉

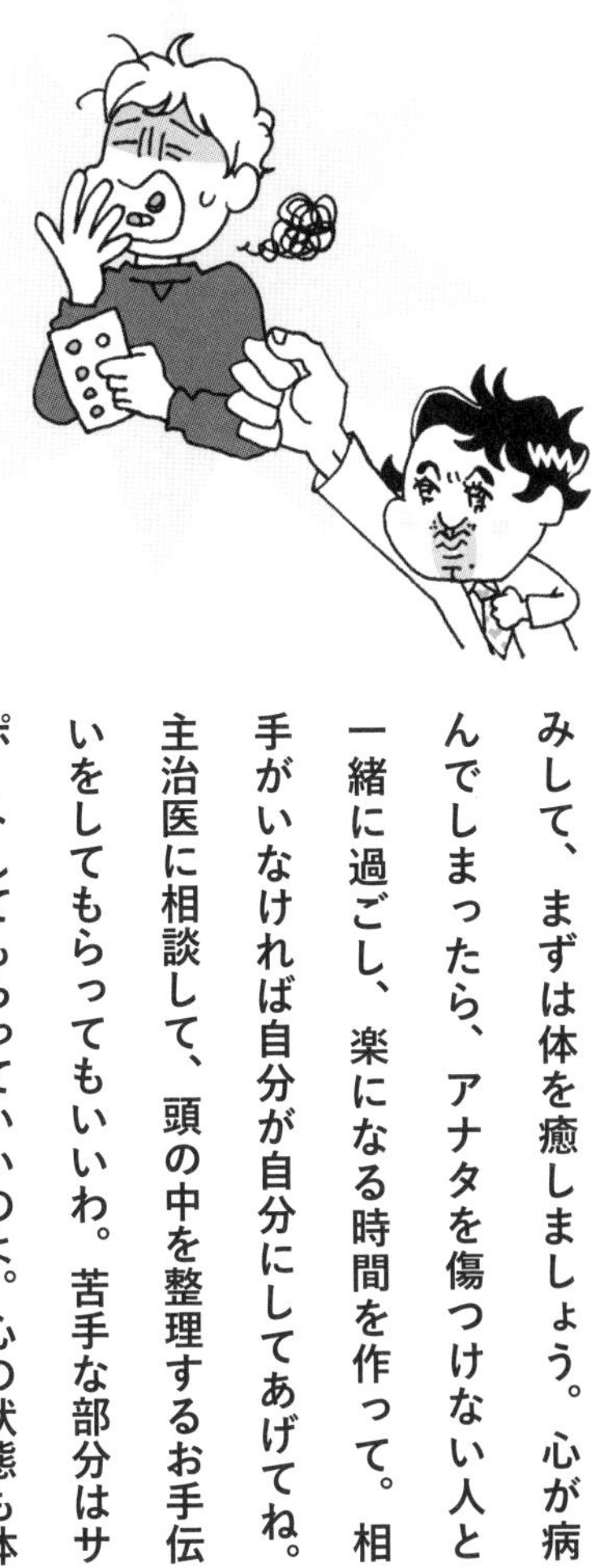

体の調子が悪いときは、考えることをお休みして、まずは体を癒しましょう。心が病んでしまったら、アナタを傷つけない人と一緒に過ごし、楽になる時間を作って。相手がいなければ自分が自分にしてあげてね。主治医に相談して、頭の中を整理するお手伝いをしてもらってもいいわ。苦手な部分はサポートしてもらっていいのよ。心の状態も体調の一つだから、精神的に不安定なときも、体調を整えることを心掛けてね。

33

「自己肯定感はちょっとずつ育てればいい」

自己肯定感がもてず、プライドも周りの人にズタズタにされてしまうことってないかしら。

特定の相手にそうされてしまうのなら、まずはその人から離れましょう。

相手のプライドを傷つけるような言動で、相手を操ってしまう人っているから。

その上で、自己肯定感はちょっとずつ育てていく。

一番いいのは、**「自分を傷つけないとわかっている人」と一緒にいること。**

そういう人と過ごしながら、自分の素直な気持ちを少しずつ表現するようにする。

「私これ好きなのよ」

「これ美味しいね」

自己肯定感の弱い人は、こんなことすら言えなくなることがあるから、少しずつ、意見を言える範囲を増やしていくの。

そんな人が周りにいないときも、やることは一緒。

周りの目を恐れず、自分の気持ちや考えを少しずつ言う練習をする。

できれば、自分のやりたい行動も少しずつ。

自己肯定感は一度には身につけられないわ。

少しずつ、育てるの。

34

「「白黒つける」考え方をやめる！」

ちょっとしたことで人が嫌いになる、人を信用できないという人って多いわ。

アナタも、他人を白か黒かで判断してしまう傾向があるんじゃないかしら？

誰かと出会い、「この人はいい人だ！」と感じたらあれやこれや期待してしまう。

そして、少しでも自分の期待と異なる行動をとられると「やっぱり裏切られた！」なんて思う。


他人に対して白黒つけすぎると、他人と上手くいかなくなってしまうのよ。

誰でもいい面や悪い面もある。

人間は清廉潔白な部分だけじゃない。
ドロドロしたところも、汚いところもある。
でも、それに捉われてしまったら、その人の良いところなんて見えてこないわ。
いろんな部分を含めて、その人全体を受け入れていく。
それが大切だと思うのよ。

35

「やっぱり人間って素晴らしい」

嫌いな人がいるどころか、人間不信になっちゃっているアナタに。
アナタもアテクシも含め、人間にはいろんな側面があるわ。
全面的にダメな人もいないし、全面的に素晴らしい人もいないのよ。
それに人は良くも悪くも変わっていく。
だから**いまはイヤな人でも、素晴らしい人になることだってあるわ。**
もちろん、その逆も。
自分だって変わっていっているから、

いまはその人のいいところが見えなくても、
自分が成長したらわかるようになるかもしれない。
そんなに人生の大先輩ってわけじゃないけど、いろんな人を見てきたわ。
時には困らされたりすることもあるけれど、やっぱり人間って素晴らしい。
そう思うのよ。

PART 5

一人でもいい でも、アナタといると もっといい！

恋愛のストレスをぶっ飛ばす言葉

「恋人なのに……」。不満の原因は、アナタが恋愛の定義にしばられていたり、相手との距離感を決めつけていたりすることが多いわ。「こうじゃなきゃ」を外して関係性を変えてみると上手くいくかも。それと、恋愛に依存しないように、自分のやりたいことをしっかり作っておくこと。「君無しでは生きられない」は愛情表現の決め台詞だけにして、実際は「君無しでもいられる恋、君といられるともっと素敵な恋」を！

36

「相手とのありのままの関係性を楽しむ」

いつも人間関係で疲れやすい人には、ある共通点があると思うの。

それは人間関係を定義してしまうということ。

どういうことかというと、

「恋人は○○するものである」

「友人は○○するものである」

「親は○○するものである」

などと、人間関係に細かいルールを設けてしまうことね。

相手にルールを設けてしまうと、

「恋人なのに○○してくれない、耐えられない」

なんて思ったりして、不満を感じやすくなる。

自分にルールを設けてしまうと、

「親なのに○○もしてあげられない。どうしよう」

などと自分を責めたりして息苦しくなる。

人間関係とは、その相手との関係だから、細かいルールにしばられなくても、ありのままの関係性でいいのよ。

その関係性も時間とともに変わっていくけど、それも当たり前のこと。

自分も相手も、少しずつ変化している。

だから、関係性も少しずつ変わっていく。

人間関係を定義して、自らしばるようなことはせず、
ありのままの関係性を楽しみましょう。

37

「相手を束縛したくなるのは自信がないから」

束縛というのは、自分への自信のなさからきているわ。
自分に自信がないので、何かの保証が欲しい。
なので、相手を束縛してしまうの。
でも、どんなにがんばったって、一時的な相手の行動しか束縛できません。
束縛することで、かえって信頼がなくなる。
相手の気持ちが離れてしまう。
どんなに束縛しても、人の心までは束縛できないの。

なので、**二人の関係のために、できるベストのこと。**
それはアナタが魅力的であることです。
アナタが魅力的であれば、相手をひきつけることができる。
もちろん、見た目だけのことではないわ。
だから相手を束縛したくなるときは、
相手ではなく、自分を見つめなおすときなの。

38

「執着は愛じゃありません！」

いい恋をするためのたった一つの方法について書いてみるわね。

それは愛と執着をちゃんと区別することです。

恋愛を続けていると、執着心がでてきます。

最初から執着心がある人もいるわ。

この執着心は、最終的には恋愛の妨げになります。

なので、自分の相手への気持ちが「愛」なのか「執着」なのか常に区別することが大切よ。

たとえば、

「仕事で疲れてる彼に安らぎを与えたい」

これは愛だけど、

「彼と片時も離れていたくない」

これは執着。

常に自分の気持ちが**愛なのか執着なのか考えて、執着は片っ端から手放す**ようにしましょう。

そして、相手からの行動も、執着から来ていると感じたら、早めに話し合っておくことも大切。

相手にとって一番いいことは何なのか、常に意識して行動するということです。

39

「自分を犠牲にしないの！」

人間関係で、共依存になりやすいタイプの人がいます。
簡単に言うと、相手に尽くしすぎてしまうタイプね。
こういう人は、一つのルールを作っておくのがオススメ。
それは、
自分を犠牲にしてまで、相手に尽くさない
というルール。
たとえば、相手に何かをしてあげることで、自分のやりたいこと、自分のしなければならないことができなくなっているなあと感じたら、そこまではやっちゃダメなのよ。
自分を犠牲にするということは、相手が自立する機会を奪うことにもなるの。
だから、大切な人のためにも、自分を犠牲にしない。
簡単なことじゃないっていうのは、よくわかるわ。
でも、常にそれを意識するだけでも、だいぶ違うのよ。

PART 6

毎日の繰り返しに人生の価値がある！

家事のストレスをぶっ飛ばす言葉

炊事・洗濯・掃除に買い物、ほかにも家のあれこれ。家事ってほんと大変。やってみないとわからないわ。アナタ一人に押し付けられてるとしたら、家族で話し合ってしっかり分担しましょ。毎日毎日でイヤになることもあるけど、毎日必要ってことはそれだけ大事ってこと。この繰り返しが人生で、繰り返す日々の中にこそ価値があるわ。家事しかしてない、なんていう罪悪感は間違いよ。家事を愛し、人生を愛し！

40

「捨てるのって快感よ」

部屋が片付かない人っているわよね。

そういう人は、毎日少しずつでいいから捨てる癖を身につけるといいわ。

片付けるという作業は、どこにしまうか、どうやってしまうか、いかに取り出すか、などと、結構考えることが多くて面倒くさい。

でも、わざわざ何度も片付けたり、取り出したりするほどの物って意外とないのよね。

それだったら、捨てちゃったほうがいい。

「捨てるのはもったいない」って思うかもしれないけど、何度も片付けたり、収納する場所を確保したりする手間のほうが、よっぽどもったいないわ。

まとめて捨てようとすると大変だから、**毎日少しずつ捨てる。**

いらないものを捨てると、ちょっとスッキリする。

この感覚が身につくとどんどん捨てられて、捨てるのが快感になってくるわ。

そうすると、買い物するときも、どうせ、これはいずれ捨てるなあ、ってものはもったいなくなって買わなくなるわ。

部屋は片付く上に無駄遣いも減る。

いいことだらけなのよね。

41

「減点法はしない、＋(プラス)してゆく生き方」

自分に自信がもてないという人に伝えたいの。

アナタはどこも、何も悪くない。

「自分に自信がもてない」と言うけれど、人にはそれぞれ、自分の生き方や目標があるわ。

他人にあって、自分にはないものばかり探していたら、いくらでも出てきます。

減点法だと、自分の点数はどれだけでも下げられるのよ。

でもそれは真実ではないし、それに何の意味があって？

他人ではなくいまの自分よりちょっとだけいい状態を目指す。その繰り返しなの。

後ろ向きになっても仕方がない。

逆に言うとどんな人もそれしかできないのよ。

たとえばこんな方がいたとします。人間不信で人と関わるのが怖くて働くことができず、育児、家事しかしてないことに罪悪感をもってる方。この方が働かない自分が情けなく感じて子どもに申し訳なく、自信をもつにはどうしたらよいのでしょうか？と相談したらどう答えるでしょう。

アテクシならこう答えます。

人間不信があっても、なんとかやりくりし、お子さんを育て上げたのよ。

しかも家事もやっている。

アナタは、なかなか人にできないことをやっているのよ。

これは自信をもっていいことだわ。

家事しかしてないなんて**減点法で罪悪感をもっちゃダメ。**

罪悪感をもっても何も変わらないわ。

42

「家事のルールを作ってみて」

夫が家事をしない。

家事の分担が当たり前になったいま、こういう不満は多いと思うの。

口では「手伝うよ」と言っても実際は、仕事から帰ってくると「疲れた」とゴロゴロ。

「私だって疲れてるのよ」とピキッ！　夫に怒りを抑えられないのもまた疲れてる証拠。

さあ、どうしましょ。

夫を動かすには、こちらの期待を相手の耳の奥の脳まで挿し込まなくちゃ。

まずは、**「いつまでにやるか」をしっかり決めておく**ことが大切よ。

そして、自分の理想までを含めて**話し合い、ルール化**しなさい。

具体的なルールがないと、人はいいように解釈しちゃうの。

あとはね、相手に対する期待っていうのは、「〇〇して」と端的に伝えるよりも、「〜〜だから〇〇してほしい」とその背景まで伝えたほうが相手に響きやすいのよ。

やってみてね。

43

「やらなきゃいけないことは朝やるの！」

腰の重い人っているわよね。
一旦くつろいじゃうと、ついついダラダラしちゃってやるべきことができない。
そんなときは、
やらなきゃいけないことは
朝起きたら全部やる
ようにしましょう。
家に帰ってからやろう、食事を食べたらやろう、寝る前にやろう、とか考えてるとなかなかできないのよ。

人間は午前中が一番効率よく動けるわ。

だから、午前中にメインの仕事をするようにする。

その日やらなきゃいけないことは、体が小休止する前に、全部終わらせる。

午後は、慌てない仕事、余力があったらする仕事に割り当てる。

疲れてたら、ずっとぼーっとしてもいいやぐらいの気持ちでいいのよ。

PART 7

子育てはチームプレーよどんどん巻き込んで!

育児のストレスをぶっ飛ばす言葉

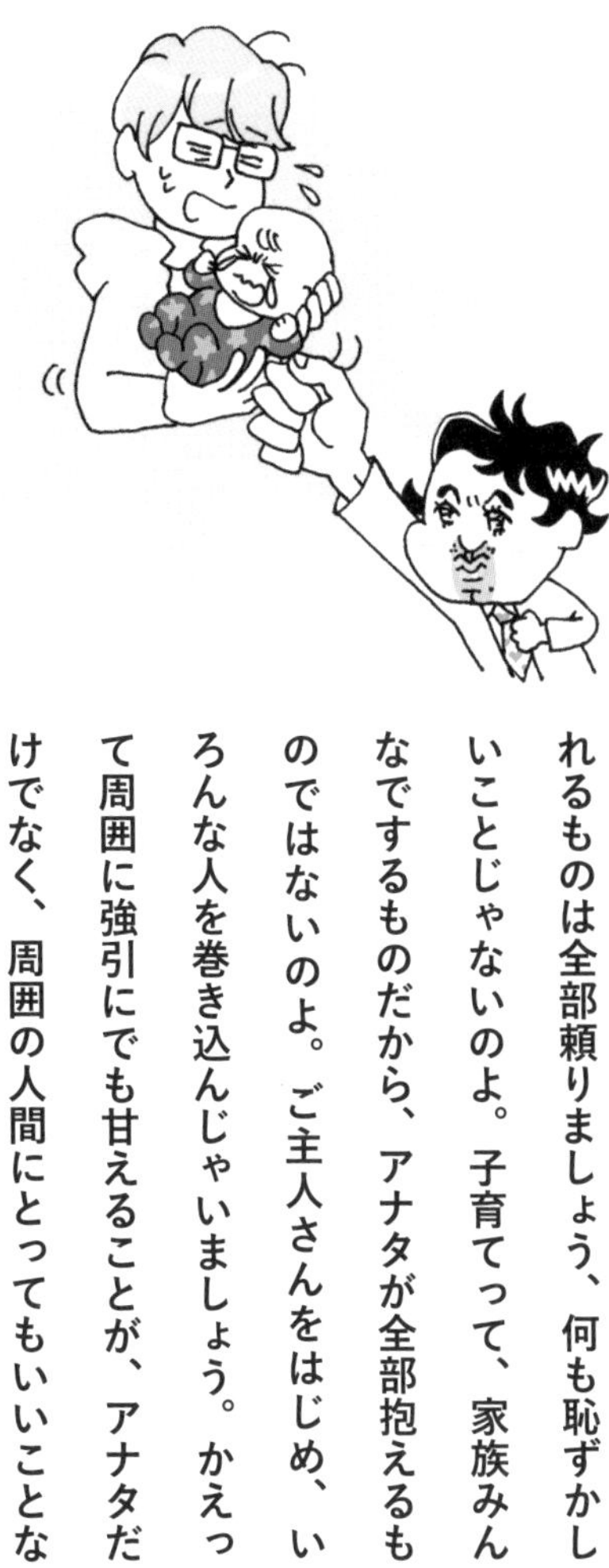

全部自分で解決しようとしなくていいの。頼れるものは全部頼りましょう、何も恥ずかしいことじゃないのよ。子育てって、家族みんなでするものだから、アナタが全部抱えるものではないのよ。ご主人さんをはじめ、いろんな人を巻き込んじゃいましょう。かえって周囲に強引にでも甘えることが、アナタだけでなく、周囲の人間にとってもいいことなのよ。ストレス発散して心に余裕を作ること、すっごく大切よ！

44

「ちょっとでいいから、子どもを入れない場所を心に作って」

子育てって、見るのと、やるのとは全然ちがう。

傍から見てると、いいわねぇって思うけど、実際やってみると、ストレスの連続よね。

3歳の息子さんについて「息子はやんちゃで言うことも聞かず、外出もままならないのでストレスがたまります」って相談があってね。ほら、傍から見てると、子どもはかわいい盛りだし、親が愛情注いでるのも見えるから、育児の苦労ってなかなか真剣に取り合ってもらえないのよね、「贅沢な悩み」的に。

でも、ストレスはストレス、しっかり対処しましょう。

この相談者のケースだと、まだ3歳なので「ルールを守ったらご褒美をあげる」という方法がいいと思うわ。

ルールを守ることが良いことだって条件づけて覚えてもらうのね。

子どもへの対処の次は自分よ。

自分だけの時間を、1分でも5分でも作れるように、心のセーフティゾーンを作ること。

もちろん子どもと離れて過ごすというわけにはいかないから、「2、3分目を閉じる」とかでもいいのよ。

トイレの中でマンガを数ページ読んだり、お風呂の掃除をしたりするでもいい。

短時間でもこまめに、自分だけの時間をもつようにするといいわ。

45

「人間、なんとでもなるものよ！」

自分の子を他人の子と比べてしまうアナタに。

たとえばこんな相談。

息子がひきこもりで、他の人の子育てブログを見るたびに自分の子と比べてしまって、「うちの息子の状態は最悪だ……」と落ち込んでしまうって。

他の子の前進を素直に喜べない自分にもモヤモヤしちゃうのよね。

ブログを見なきゃいいのかもしれないけど、つい読んでしまう気持ち、よくわかるわ。

だけど、息子さんは、誰とも比較できない唯一の人間で、あなたの息子さんなのよ。

似たような環境だとどうしても比較してしまうけど、べつに誰かと競争しているわけじゃないの。

「自分の息子が後れをとった」とかそういうわけじゃない。

何かのご縁があって、息子さんはあなたの子として生まれてきたわけで。

だから、**純粋に息子さんだけを見て、「彼がよりよく生きられるようにするには、何ができるかなあ」と考えるのがいいと思うわ。**

そうすれば余計なことも考えずに済むしね。

この相談者の場合、どうしてもブログを読むのがやめられないのなら、息子さんにいいことが起きたときだけ読むとかもいいかも。

あとはひたすらイヤな気分になりそうなときは気晴らしをする。長いつきあいなんですもの。

人間いざというときは、なんとでもなるのよ。

焦らず、「いつかなんとかなるわ」ぐらいの気持ちのほうがいいかもしれない。

46

「ギュッと抱きしめてあげてね」

アナタは自己愛って言葉知ってる?
自己愛っていうのは、自分自身を愛すること、大切に思うこと。
自己愛は強すぎても困りものだし、もちろん弱すぎても生きづらい。
自分を愛せない人は他人も愛せないってよく言うでしょ?
正常な自己愛をもつことは人が生きていくためにとても必要なことだと思うわ。
それでは、子どもに正常な自己愛をもってもらうためにはどうしたらいいでしょう。
大人になってから正常な自己愛をもつのは難しいけれど、子どもにもってもらうのはさほど難しくないわ。逆に言うといまがチャンス。

大切なことは、スキンシップです。

ギュッと抱きしめる、チュをするなど子どもが喜びそうなスキンシップは充分とってあげて。

添い寝してテレビ見たり。

とりあえず、親子の温かい時間をこれでもか、これでもかと作る。

あと「**好き**」という言葉をたくさんかけてあげる。子どもからも「**好き**」といっぱい言ってもらう。

正常な自己愛がもてなかった大人は、

「**何もしなくても、そのままで愛されてるんだよ**」

という感覚が希薄なのね。

それは幼少期に親からもたされる部分が大きいので、いっぱいかわいがってください。

PART 8

家族だからといって しばられる 必要はないわ！

家族のストレスをぶっ飛ばす言葉

世の中には、いろんな家族関係がある。もっとも影響を受ける親密な関係でありながら、子どもは親やきょうだいを選べない。だけど、家族といえども所詮は他人なのよ。こうあってほしいと期待しすぎないほうがいいわ。そうすると苦しくなること、あると思うから。たとえ親であっても、欠点もあって、不完全な一人の人間に過ぎないの。アナタにはアナタの人生がある。

47

「家族とそりを合わす4つの方法」

どうしてもそりの合わない人っているわよね。

仕事上のつきあいなら、あまり深く関わらないようにすればいいけど、家族だとそうもいかない。

そういうときの対応方法について書いてみるわね。

①そりの合わない家族と二人きりにならない

他の家族を交えると、雰囲気が改善されることもあるわ。

また、多くの家族が同じ場所にいれば、話題も増えて気まずい沈黙や口論も減るわ。

②生活リズムをずらす

同じ家にいても、生活パターンを変えれば顔を合わせることも減るわ。そりの合わない家族が居間にいるときは買い物に行く、などして工夫してみましょう。

③自分と相手が機嫌のいいときに、顔を合わせる

どんなに合わない家族でも、「四六時中不機嫌」ってことはないと思うわ。相手の機嫌のいいとき、または自分の機嫌のいいときに顔を合わせましょう。機嫌のいいときは、相手のイメージも良くなりやすいわ。逆に不機嫌になりそうなときは、そっとその場を離れてみましょう。

④「この人は○○だ」と決めつけない

家族は長い時間のつきあいです。昔は印象が悪くても、人生のステージを重ねることで丸くなったりもするわ。昔の悪い印象を引きずらないようにしましょう。年末年始、いろんな家族と一緒に過ごすこともあると思うわ。上手に過ごして家庭円満を目指しましょうね。

48

「嫁と姑、イメージは水槽の中ですれ違う魚たちよ」

波長が合わない相手と一緒の空間にいるのは苦痛よね。

会話のキャッチボールもコミュニケーションも、上手くとれず、そうするとそわそわ落ち着かなくなっちゃう。考え方も全くちがったりする。

他人だったら関わらないようにすれば済むけれど、家族となると……。

波長の合わない姑とは、できるだけ関わりたくないって言ったら、自分は悪いことをしているのだろうかと不安にもなるわよね。わかるわ。

さて、このストレスをどうやって打破しましょう。

まず、一番大切なのは**上手くやっていこうとしないこと。**

波長の合わない人間と、なんとか上手くやろうとすると疲れてしまいます。

相手を変えるのは不可能なので、最初から期待しないこと。

期待しなければストレスも生まれません。

自分の中で「(姑に関して) ここまではやるけれど、これ以上はしない」というラインを引いておいたほうがいいと思うの。

淡々と、ただ一緒にいることをまず目指しましょう。

「狭い水槽の中で飼われている大型の魚たち」のようなイメージで。彼らは全く気が合わなくても、狭い水槽の中で淡々と生活しています。上手に相手との間をすり抜けながら。

そうするしかないからです。あまり、肩の力を入れずに (無理に相手に合わせることもなく)、淡々と同じスペースにいると、やがてちょっと楽になっていきます。

なぜなら人間の脳は「慣れる」ようにできているからよ。

あまり「姑とは合わない」と頭だけで考えず、ただそこに存在しているだけでいいんだと割り切りましょう。

49

「不満をぶつけるのはもちろん、におわせもよくないわ」

子どもの誕生祝いで早く帰ってくる予定だったご主人が、仕事が急に入ってしまい、帰宅がかなり遅くなることに。仕事人間のご主人は、当然のように仕事を優先しました。誕生祝いのほうが先約だし、子どもはこの日を待ち焦がれていたし、心を込めて作ったご馳走や冷蔵庫の中のケーキ……などなどアナタの失望の数々は一つに固まって怒りになるでしょう。アナタが穏やかな性格だったら、怒りじゃなくて、不満となって固まるかもしれないわね。

アナタは、この気持ちをご主人にどう伝えますか？

そのまま表に出す前に、ちょっと感情をほぐしてみない？

ご主人のように仕事優先の人って、家族との時間を作るのは「おまけの仕事」「義務」と考えているフシがあるのよ。

そういう人に有効なのは、「家族との時間は癒しである」と感じてもらうこと。

こういう人に、不満をぶつけたり、あるいは直接的に言わなくても、におわせたりしてしまうと、「家族は癒し」どころか、余計に家族から遠ざかる傾向にあるの。

マイナスの感情をプラスに置き換えてから、相手と話すことが大事よ。

プラスの感情は、アナタの心身にも良い作用を与えるはずよ。

50

「ギャンブル依存症の夫と向き合うには」

ギャンブル依存症って治せる？という質問。

たとえばご主人が、借金するほどのパチンコ好き。彼女からみたら明らかにギャンブル依存症なのに、本人は認めない。

実は「依存症」って、精神科でもなかなか治らないものの一つなのよね。

そして治療に長い月日がかかります。

さらに一番大切なことは、本人が「自分は依存症である」と認めて、「なにがなんでも治したい」という決意をすること。

これがないと、治療を上手く進められないのよ。

治療も、みんなで集まって集団療法を行ったり、専門の病棟を作って入院治療をしたり、かなり専門的なものになります。

つまり、どの精神科医でも診られるわけじゃないのよ。

というわけで、治療をしっかりやろうと思うとかなり大変だと思います。

ただ、依存症には、自助グループというものがあり、やめたいと思う人たちで活動を行っています。これに参加することは大きな治療意義があると思うので、良かったらコンタクトをとってみてもいいわ。ギャンブラーズ・アノニマス（GA）というものが有名です。

自分でできることとしては、お小遣いをもたせないようにする。遊んでもいい金額を決めて、その中でなにがなんでもやってもらうようにすることぐらいだわね。

また、アナタの気持ちのもち方としては、**基本的には治らないぐらいのつもりでいたほうが、振り回されないでいいと思うわ。**

PART 9

ネットの言葉にすがりつかないで！

SNSのストレスをぶっ飛ばす言葉

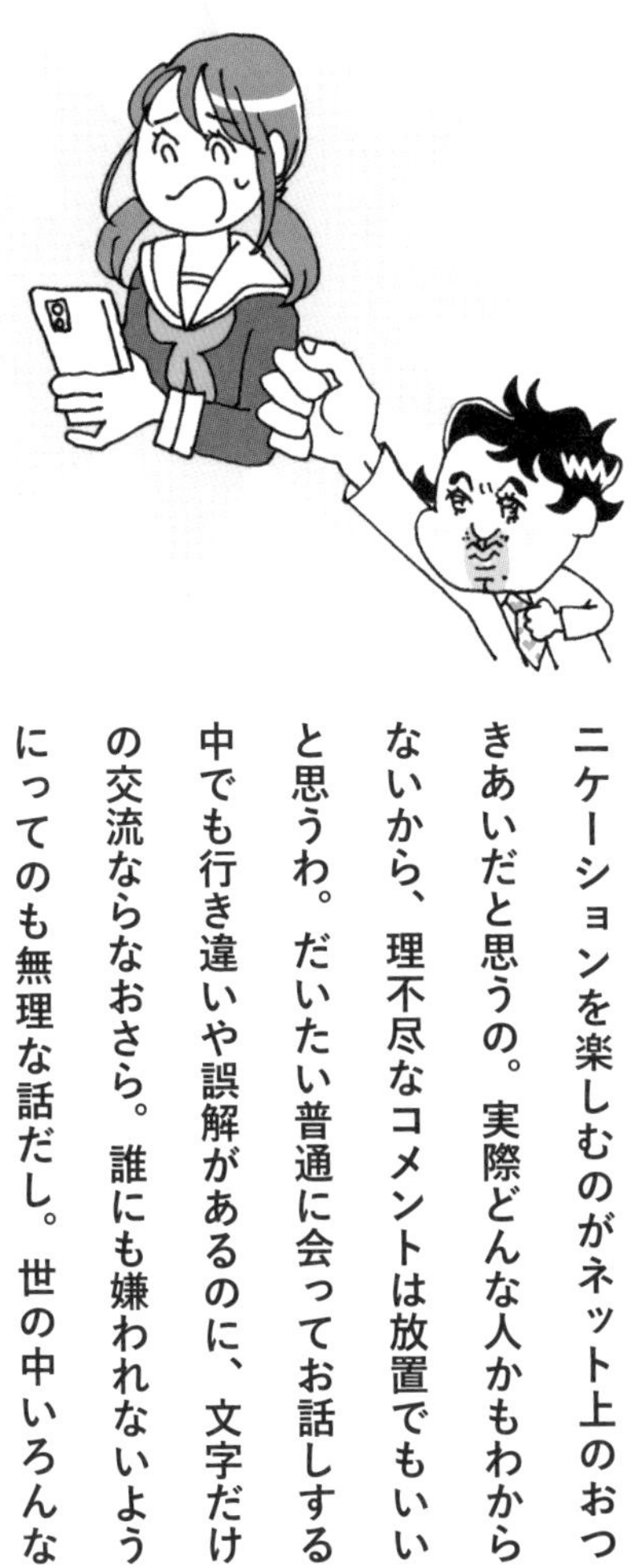

本来気軽に、ゆるいつながりを感じてコミュニケーションを楽しむのがネット上のおつきあいだと思うの。実際どんな人かもわからないから、理不尽なコメントは放置でもいいと思うわ。だいたい普通に会ってお話しする中でも行き違いや誤解があるのに、文字だけの交流ならなおさら。誰にも嫌われないようにってのも無理な話だし。世の中いろんな人がいるので。あんまり気にせず行きましょう。SNSはツールよ、振り回されないで！

51

「自分が作っているストレスもある、これ減らせるわ」

ネットでもリアルでも対人ストレスを抱えているアナタへ。
ストレスは、外からやってくるものだと考えがち。
確かに外から降ってくることもあるのだけど、実際は自分が作っていることもある。
極力ストレスを減らすには、こうしてみて。
たとえば、イヤな友人がいて、悪口を言ってくる、という場合。

そんなやつ、友達じゃないわ。

関わってストレスになるのなら、関わり合いにならなきゃいいのよ。職場とかで顔合わせても、個人的に遊びに行かなきゃいい。

LINEを無視されるのがつらいんです、という場合。

その人にLINEするのをやめましょう。

LINEしなければ、無視されることもない。

ストレスを減らすには、一歩先を読んでストレスの原因を作らないことも大切。

52

「〝いいね〟が欲しいなら、自分も〝いいね〟するの！」

SNSの〝いいね〟の数が気になってしまうことってあるわよね。

「この子、めっちゃ人気ある」とか「それに比べて、私の〝いいね〟は少ないなぁ」とか「この人、あの子には〝いいね〟を押すのに、私には……」とかいろいろ考えちゃってモヤモヤすることあるわよね。

でもね、「いいね」って、単純に書いたものへの評価だと思うのよね。鍵がついていなければ、の話だけど。

知らない人でもフォローしたり、投稿を見たりできるわけだから、**相手がどんな人かわ**

からない状態で「いいね」を押していることもある。

だから、**あなたのことが嫌いで、あえて「いいね」を押さない人なんてほとんどいない**のよ。

「いいね」の数が気になるのなら、どうやったら「いいね」の数が増えていくのか逆に実験してみるぐらいの感覚でいいんじゃないかしらね。

実際アテクシも投稿するときにいろんなものを書いてみて、反応見てるのよ。

そうすると「どんな投稿がみんなの役に立っているか」がよくわかるようになってくるわ。

本人に人気が出る場合もあるけれど、芸能人でもなければたいていは投稿の面白さにみんな反応しているわけですから、ある意味公平で、余計なことを気にする必要はないのよ。

常に面白い投稿をしていけば自然とフォロワーは増えてくるわ。

あとはアナタが率先していろんな人の投稿に「いいね」を押すこと。

「いいね」をもらった人はアナタに「いいね」くれる可能性もあるからね。

53

「LINEの文章は長くしないで」

最近はLINEを使うことが増えてきました。

便利な反面、すぐにメッセージがどこでも送れてしまったり、「既読」がついたりと、ちょっと面倒くさいこともあるのも事実。

そこで、今回はLINEで好感度を上げる方法について書いてみます。

特に「ちょっと仲良くなりたての相手」を対象に考えてみるわね。

①一つ一つの文章を長くしすぎない

メールとちがって、LINEは会話の要素が入っています。

あまり長文の文章を入れてしまうと、独り言のようで、なんとなく面倒くさい人に見えてしまうことも。

仕事の要件など必然性がない限り、短い文章にするのがコツよ。

②つぶやかない

LINEはTwitterなどとはちがい、コミュニケーション要素が大きいわ。
独り言のような自己完結したメッセージは入れないのが吉。
返答に困るメッセージは既読無視の温床になるわ。

③ディスらない

たとえ本音でも「○○が嫌い」「○○って気持ち悪いよね」など、ネガティブな表現はやめておきましょう。会話やメールとちがい、LINEは最後に発言した内容がずっと表示されています。ネガティブな発言を残すと、まるで自分がネガティブなことしか言わない人間のように見えるから印象が悪くなっちゃうわ。

④メッセージの頻度を多くしすぎない

LINEは既読がついてしまうので、「相手に既読無視した」と思われないよう、どんどんメッセージの頻度が多くなる現象が起きます。

このＬＩＮＥ突進現象は、お互いが疲れてしまうのでなるべく起こさないほうがいいと思うわ。

既読をつけてしまっても、すぐに返信しなくてもいいわ。

その代わり、相手の最後に言ったメッセージを受け止めて、ちゃんと返すようにすること。

相手に「すぐにメッセージ返せないこともあるけど、無視はしない人だ」って安心して思ってもらえるようにすると好感度はとても上がるわ。

54

「既読スルー気にしちゃダメよ」

今回は特にＬＩＮＥの既読スルーについてです。アテクシ、実はこれ苦手なのよね。どうしても気になりがち。

自分なりにいろいろやってみて考えた対策方法について書いてみます。

①慌てて返事しない

慌てて返事すると、お互いがチャット状態になり、相手が疲れたときに既読スルーになるわ。慌てて返事をしないのも、思いやりのひとつ。

急ぎの用事でなければ、数時間に一度確認するぐらいのスタイルで行きましょう。

②スタンプで会話を終了させる

会話の文章というのは、延々と継続するのが基本の形式です。なので、どちらかで会話が終了すると、ちょっと後味が悪くなる。これが既読スルーの疲れ感にもつながるのね。

こういうときはスタンプが便利。スタンプは会話の継続を一旦中止しましょう、という自分からの提案でもあるので、相手が既読スルーしても心的な負担は少ないわ。

また、スタンプすると相手もスタンプで返事してくることも多く、チャット状態が自然な形で一旦中断できます。

③独り言メッセージは極力避ける

つぶやき的な独り言メッセージは、突っ込みにくいわ。少しかまってちゃんな雰囲気も出るので、相手に面倒くさいと思われ、既読スルーになりやすいです。

ちゃんと相手が返事しやすいメッセージを心掛けましょう。

④長文メッセージは極力避ける

あまりにも長い文は、相手に面倒くさいと思われ、既読スルーされやすいわ。どこからどう返信したらいいのかわからない場合もあります。

本当に必要なことだけを述べ、相手に重いと思われないような軽快なメッセージを心掛けましょう。

⑤あまり気にしない

相手にも事情があるので、とりあえず内容だけ読んで、後で返信しようって思ってることもあるわ。また、人間なので返信を忘れることもあります。

普段から気にしないようにできれば、それが最強の対策よ。

⑥リアルな関係を深める

リアルな人間関係が深い人は多少既読スルーされても気にならないの。現実の関係で信頼できているからです。

ＬＩＮＥばかりで済ませるのではなくて、リアルな関係を深めることが大事よ。

PART 10

コロナ禍はトンネル
必ず抜けると思って！

コロナのストレスをぶっ飛ばす言葉

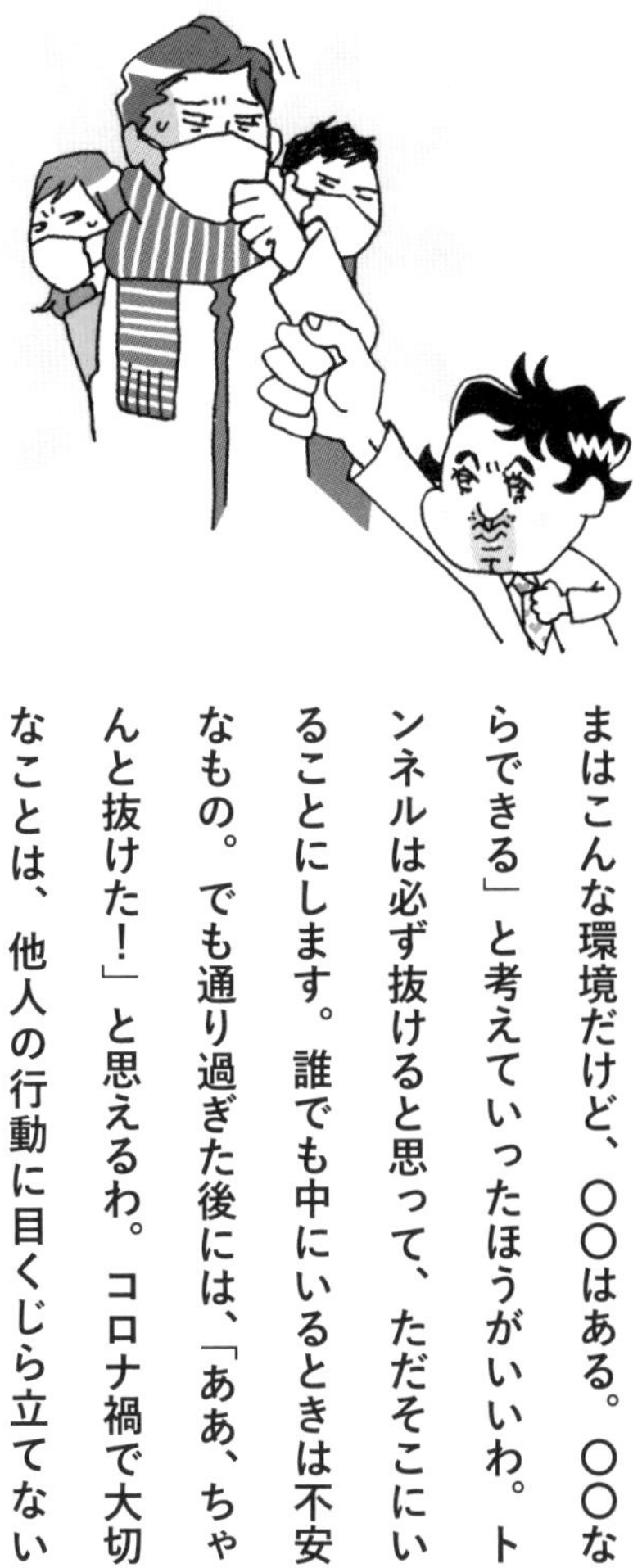

「〇〇がない。〇〇ができない」ではなく「いまはこんな環境だけど、〇〇はある。〇〇ならできる」と考えていったほうがいいわ。トンネルは必ず抜けると思って、ただそこにいることにします。誰でも中にいるときは不安なもの。でも通り過ぎた後には、「ああ、ちゃんと抜けた！」と思えるわ。コロナ禍で大切なことは、他人の行動に目くじら立てないこと。何が正解で何が不正解かわからない。皆その中で動いている。

55

「コロナへの不安とつきあうコツ」

コロナウイルス、自分が感染するのが一番怖いけど、知らないうちに誰かにうつしてしまうんじゃないか、もし感染したら周囲の人から咎められるんじゃないかとか心配事がたくさんあるわよね。

怖くて何も行動できなくなった、何もやる気が起きないなんて人もいるんじゃないかしら。

手洗い・うがい・除菌の徹底、マスクをする、外出を必要最小限にする、三密を避けるなど、対策できることを精一杯するのはいいけど、考えてもどうしようもないことまで心配しても苦しくなるだけよ。

それよりも、**いまできることに意識を向ける。**

たとえば、満員電車が怖いなら出社時間をラッシュ前に早めるとか、三密を避けた運動をするとか、家にいる時間が増えたことでいままでやらなかった趣味や資格の勉強を始めたりだとか……。

遠い先の未来を怖がって足元を滑らせてはいけないからね。

56

「大切なのは他人の行動に目くじら立てないこと」

コロナ禍による外出自粛のなかで、平気で外出している人たちを見て腹を立ててしまうなんて人いるんじゃないかしら。自分は我慢しているのにって。

でもね、**自分とちがう行動をとる他人を批判や攻撃してもきりがないわ。**

コロナ禍で大切なことはね、**人の行動に目くじらを立てないこと**だと思うわ。

何が本当に正しいのかわからない。皆その中で動いている。

そして他人のことはコントロールしきれない。

それにね、一人ひとりがそれぞれ異なった状況の中で日常を過ごしていて、一辺倒に全員に「家にいるべき」とも言えないわ。やむを得なく外出や出張が必要だったり、一日中家にいることが難しい人だっている。

コロナ禍で周りへの視線が厳しくなってしまうのはやむを得ないけど、ただでさえ感染への不安や不自由な生活でストレス多いのに、そのうえ他人のことまで考えていたら、四六時中ストレスを感じて生きることになるもの。

生きる時間をそんなことに費やしたくないわ。

57

「なるようになる！」

コロナウイルスの問題が日に日に大きくなって、お疲れの方も多いと思うのよねえ。
アテクシは、心の専門家として平然としている……わけでもないわ！
こんなときに役に立つのは、
ナルヨウニ三姉妹。

「なるようになる」
「なるようにしかならない」
「なるようにする」

お好きな言葉をつぶやいて、日常を過ごしましょう。
まあ個人的なことだけど、アテクシもどうにもならなさそうな時代がありました。
でもあきらめずに、なるようにやっていた。
なんとか来れた。
皆様もきっと、大丈夫。

58

「引きこもればいいわよ」

アテクシの周りにも、コロナウイルスの影響がじわじわ出てきているわね。
まあ、こういうときは、**あえて日常を大切に。**
あと、**引きこもりの技術が大切**よね。
家で楽しくゴロゴロできるように、普段から鍛える。
幸い、いまはネットがあるし、ネットがあれば映画も読書も音楽もゲームも楽しめる。
家がマンガ喫茶みたいなものよね。
アテクシが小さいころは外に出られないと何にもできないから、

読み古した本を何度も読むとか、
落書きするとか、
意味もなく家中を走り回るとか、
寝るとか、
それぐらいしかやることなかったわ。
でも、よくよく考えたら、それはそれで楽しかった気もする。
まあ、人間はちゃんと慣れて適応できるようになってるのよ。
一休み、一休み（ｂｙ一休さん）。

PART 11

無理に抑え込まず、考えるのをやめる！

ストレスのストレスをぶっ飛ばす言葉

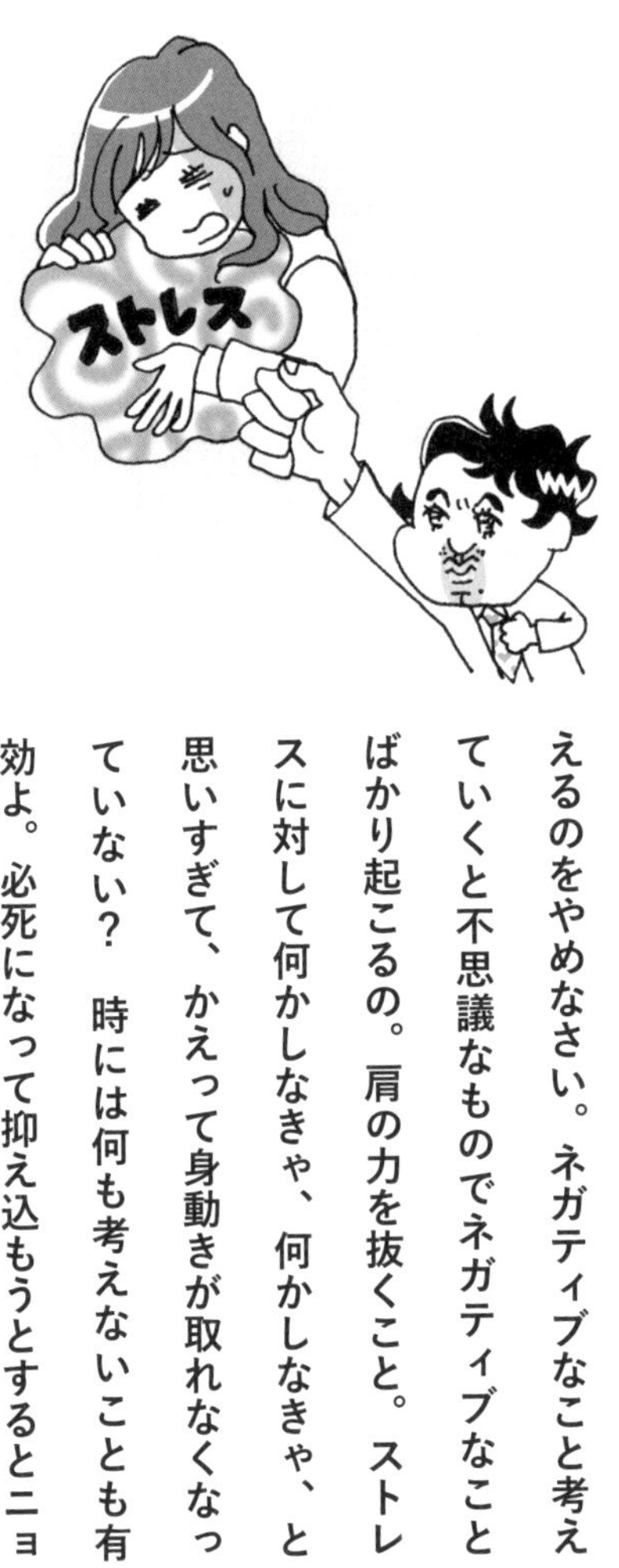

ぐるぐるろくでもないこと考えそうなら、考えるのをやめなさい。ネガティブなこと考えていくと不思議なものでネガティブなことばかり起こるの。肩の力を抜くこと。ストレスに対して何かしなきゃ、何かしなきゃ、と思いすぎて、かえって身動きが取れなくなっていない？　時には何も考えないことも有効よ。必死になって抑え込もうとするとニョロニョロでてくるの。適当にあしらっていると、そのうち薄らいでくるわ。

59

「自分の軸をもちましょう」

生きてると、毎日いろんなことがあるわよね。そこからストレスも生まれてくるわ。
仕事のストレス、人間関係のストレスなどなど。
ついついダメだって弱音を吐きたくなること、
自分で何をやってるのかよくわからなくなること、もあると思うわ。
そんなストレスに強くなる、シンプルな方法があるのよ。
それはズバリ
自分の軸をもつこと。

自分の軸とは、**「自分にとって最も大切なもの」**と置き換えてみてもいいと思うわ。
たとえば、アナタが神社に行ったとき、神様に何をお願いするかしら？
たとえば、
家族
健康
仕事
だったりするでしょ？
そしたら、それがアナタの軸なのよ。
つらいときや、ストレスにつぶされそうなとき、シンプルにアナタの軸に立ち返ってみる。
悩むことがあったら、自分にとって大切なものを優先させる。
それだけで、ストレスにだいぶ強くなるわ。
毎日のことに流されていると、ついつい大切なものを見失いがちになることもあるのよ。

60

「夢中になれること、やりましょう」

「ストレス発散」と言うけれど、何をすればよいかわからないことってないかしら。

人によってストレス発散の方法はちがうわ。

なので、どうやってストレス発散の方法を見つけるか、についてお教えします。

大切なことはたった一点。

それをしているときに他のことを考えずに済むことをやりましょう。

たとえば、アテクシにとってカラオケは大切なストレス発散の一つ。

歌っているときは歌だけに集中できるから。でも、人によってはストレス発散どころか、苦痛に感じる人もいるかもしれないわ。

そういう人にとっては、歌っているときも「僕の声変だなあ」とか、「大声出すと恥ずかしいな」とかだいたい余計なことを考えてしまっているのよ。

余計なことを考えてしまうのは、それがアナタにとってストレス発散になっていない証拠。

いろいろ試してみて、ちゃんとアナタにあったストレス発散方法を見つけましょう。

61

「忘れてしまえばいいの！」

人間誰しも、人間関係の中で傷ついたり落ち込んだりすると、「仕返ししてやりたい」って思うことあると思うの。

そういった感情を手放すにはね、「悔しい！　**こんな人、一刻も早く、アテクシの人生に関わらないようにさせたい**」って思うことよ。

で、一番自分の人生に関わらせない方法は**「忘れる」**なのよね。

仮に仕返ししてごらんなさいよ。

いつどうやって仕返しするか、相手のことを考え続ける時間がさらに伸びるのよ。

自分の時間限られてるのに。こんなに悔しいことないわよ。

なあに、自分が手を下さなくたって、「ひどいことをする人間はどこかで痛い目を見る」ようにできてるのよ。

でも、そこまで見届けるほどの価値もないわよ。

仕返ししてやりたい感情を逆手にとって、だからこそ一刻も早く忘れてやる！という方法はいかがかしらね。

62

「我慢するのが偉いわけじゃないわ」

上手に我慢する方法が知りたいアナタに。

だけど、基本的に人間、我慢は効かないわ。

一度我慢すると、ずっと我慢し続けることになり、いずれは我慢できなくなる。

なので、上手に我慢するためには、**我慢していると感じない環境を作ること**が一番の近道。

たとえば、同級生のA君の行動が我慢できないのなら、A君とあまり関わらないようにする。

仕事の夜勤がつらいのなら、夜勤のない仕事にする。
でも、我慢しないで済む環境を作るのは、結構手間がかかるのよね。
だから、とりあえず我慢するという選択をしがち。
でも、長い目で見たら、かえって大変なことになる。
だから、ちょっと回り道でも、最終的に我慢しなくて済む環境を作る。

63

「「人を許さない」のは自分の損！」

どうしても許せない人がいる、という方、時々いらっしゃるわね。

でも、許せないという感情を延々ともっていても、アナタに何もメリットはないわ。

「この人はこういうことをする人なんだ」と覚えていればそれでいい。

ずっと「許せない」という感情をもつことは、アナタの性格も暗くするし、エネルギーも奪う。

そして代わりに得られるものは何もないのよ。

なので、まず、**許さないと思うだけ自分が損する**と認識しましょう。

許せないことされたら、**また被害に合わないように忘れない。**

そして、その人から離れる。

これだけでいいわ。

そして、一緒にいると心地よく、何事も前向きに考えられる人と過ごすようにする。

アナタの時間は限られてるし、アナタの体力も限られてる。

不愉快な人のことを考えているのは、実にもったいないことよ。

そして、人間、大切な人のことを考えていれば、不愉快な人のことはだんだん忘れていくようになります。

64

「他人を許すのは自分のためよ！」

「この人がどうしても許せない」っていうとき、こう考えてみると、ちょっと楽になるかも。

他人を許すのは自分のためにするのよ。

「他人を許せない」って思っている間、自分の心はその人に捉われたまま。

しかも、その人のことを考えている間、心はネガティブになってるわ。

その人を許すというのは、自分の心を解放することなの。

世の中には、どうしても許せない行動をとる人がいます。

そういうとき、アナタの心には「怒り」が沸いていると思うの。

でも、許せない行動をとる人は、アナタ以外の人の怒りも買っていると思うわ。

長い目で見れば、それは必ず本人にかえってくるのよ。

世の中、ずるい人が得をしたり、謙虚な人が損をしたり、短期的には、理不尽なことが多く見えるけど、最終的にはつじつまが合うようにできている、とアテクシは思うのよ。

逆に自分の行動も、自分にいずれかえってくる。

そう思って生きていると、あまり他人の行動が気にならなくなってくるわ。

ただ、「許す」ことと、「忘れる」ことは別。

「人が許せない」って思い続けることは、自分を苦しめるだけだから、許すほうがいい。

でも、「許すけれど、この人はこういうことをする人だ」ってことは覚えておく。

それを忘れてしまうと、また同じことに巻き込まれてしまうから。

だから、厳密に言うと**「許すけど、忘れないようにする」**っていうのが正しいかもしれないわ。

65

「イヤなことを引きずらないようにするには」

イヤなことが起きたとき、モヤモヤするわね。

ある程度は仕方ないけど、そのモヤモヤを最小限にする方法について書いてみるわ。

①**忘れる**

終わったことは過去のこと。気にしててもしょうがないから、いま気にすべきことに集中する。そうすると少し忘れることができるわ。

②**愚痴る**

ちゃんと関係性が構築できている信頼できる友人や、家族にちょろっと愚痴ってみる。

でも、延々と愚痴らないように。

「大変だったね」と言ってもらえるだけでも充分よ。

愚痴を聞かされる人への思いやりは忘れずに。

③二度と同じことが起きない（起きにくい）ように対応する

このまま忘れてしまうと、また同じことが起きるかもしれない。

対策を立てられるものは、いまのうちに立てておく。

そうすると役に立つし、やれるだけのことはやった、という満足感がイヤな気持ちを軽くしてくれるわ。

66

「心に保険をかけておけば、万が一のときも安心！」

豆腐のように自分は心が弱い。
もっとメンタルを強くしたいと思っているアナタに。
心がダメージをくらうのは、たいてい思いも寄らぬことが起きたときなの。
親友だと思っていた人に、悪口を言われた。
急に体調を崩した。
仕事で問題が出てきた。
など、どれも予定外のことが起きた場合にダメージが大きいわ。

ならば、**起きうることを普段からいろいろと考えておくと、心が少し丈夫になるわ。**

そして、「万が一、こういうことが起きたら○○しよう」と、うっすらイメージしておくと、さらに良いと思うわ。

事が起こって、テンパってから考えるより、平穏無事なときに、余裕をもって考えておいたほうがいいからよ。

つまり、心に保険をかけておくのね。

そうすると、いざというときダメージも少ないし、何事もなく平穏無事であるときに、その幸せを感じることができるわ。

67

「何もかもダメだと思うときこそゆっくり過ごしてみて」

「何もかも上手くいかない！」って思うことないかしら？
アレをやってもダメ、コレをやってもダメ。
そんな風に考えて絶望感にとらわれるとき。
こんなときは、「人間は感情が先立つ生き物」だと考えてみて。
実は**「何もかもダメ」なんてことはあんまりないわ。**
必ず上手くいっていることも、上手くいっていないことも両方ある。
ただ、気持ちが落ち込んでいるときは、上手くいっていることに気がつけない。

それだけのことなの。

気持ちが上がってくれば、全く同じ環境でも「まー、なんとかなるさー」って思えてくるわ。

だから、何もかもダメだ！って思うときは、気持ちが上がってくるまでゆっくり過ごすようにしましょう。
※ただ、うつ病などの場合、絶望的な気持ちが継続することがあるわ。何週間も絶望的な気持ちが継続するときは医療機関の受診も考えてみてください。

68

「まずは何でも認める」

自分にないものをもっている相手に対して、「ずるい」「うらやましい」とか妬んでしまうこと、あるわよね。

妬むあまり相手が憎らしく思えてきて、相手の不幸を願ったり、黒い感情が湧いてくる。

さらにそんな自分を責めてしまって二重に苦しい。

「ああ、自分にいまこんな気持ちがあるんだな」とまずは認めてあげる。

そして、自分が相手の何に対して妬みを感じているのか、明確にしてみて。

たとえば、「私だってがんばっているのに、あの人ばかり評価されてずるい！」⇩「もっと評価されたい！」という具合に。

こうすることでネガティブな気持ちが昇華され、妬む気持ちも解消されるから。

他人を妬ましく思うときって、たいていは「自分だってがんばっているのに！（どうしてあの人ばかり！）」って思ってるんじゃないかしら。

でも、そのがんばってることって、本当にアナタがやりたいことかしら？

人って、やりたくないことをやっているとき「自分はこんなにがんばっているのに」と感じやすく、妬みの感情も生まれやすくなるの。

だから、そのがんばっていることから自分を解放してあげる手もあるわね。

好きなこと、ほっとできることをして気楽に過ごすのが一番よ。

69

「見てくればかり気にしていると、かえって見た目が悪くなるわ」

自分の顔に自信がなくて、きれいな人を妬ましく思ってしまうことってないかしら。

自分の見てくればかりに意識がいくと、見た目が悪くなるわ。

「あー、私なんて」と思う卑屈な気持ちが表情に出てしまうから。

自分らしく清潔感があればそんなにがんばらなくてもいいと思うわよ。

人の見た目の魅力って、内面から出るものと、表情が一番大切なのよ。

どんなに整った顔をしていても、無愛想で無表情だったら台無し。

逆にちょっとぐらい個性的な顔でも、よく笑ったり、優しそうな表情の人は魅力的よね。

実際モテてるのもこっちのほうなのよ。

じゃあどうやったら自分の内面が磨けるかというと、まず自分が夢中になれるものを見つけること！

仕事でもスポーツでも趣味でもなんでもいいんだけどね。

楽しそうに生きてる人は、にじみ出てくるものよ。

ファッションも夢中になって楽しめれば内面を磨いてくれるけど、顔がいい人は何を着てもオシャレに見えるなんて思うと、これまた劣等感の元になるわよね。

だから外見にひきずられない物がいいかも。

夢中になれるものを探すのも楽しみのうちよ。

70

「「楽しよう」でいいの」

ここではとってもシンプルに行きますわ。
いろいろ面倒なことがあると、
あーーーーー、しんどい。
楽になりたい！
って思うこともあるでしょう。
こういうとき、
楽になりたい

じゃなくて、

楽をしよう！

って考えてみましょう。

意外と手抜きできることってあるのよね。

でも、自分がそれをしていないだけなのよ。

何もかも、全力投球する必要はありません。

自分がやりすぎていないか見直してみて、手抜きできることは手抜きしましょう。

肝心なところだけ、がんばればいいのよ。

71

「理不尽につらいときの考え方」

時々、「なんでこんなにひどい目にあわなきゃいけないのよっ!!」というようなことが起きることがあるわよね。理不尽すぎてつらいときは、こう考えるのよ。

理不尽につらいときは、先に対価を払っている。

つらいことは、乗り越えると成長がある。

そのご褒美の代金を先に払っているだけのこと。

そのあとには必ずいいことがある。

そう考えるとちょっと楽になるかもしれないわ。

72

「イヤな出来事をプラスに考えてみる」

イヤなことが起きたら、
ふう、やれやれ、これでまた一つ心が丈夫になる
とつぶやいてみましょう。
ちょっとは楽になるわよ。

73

「イヤなことだけにとらわれないで」

イヤなことが起きたとき、そのことを忘れようと思ってもなかなか上手くいかないわ。
もちろん、時間がたてば楽になるけれど、結構時間がかかる。
イヤなことが起きたとき、すぐに自分を楽にするには、
原則は一つ、
イヤなことだけにとらわれず、全体を見るようにする。
たとえば、新車に傷がついたとしましょう。傷のことばかり考えていたらイヤな気分になる。

ここで視野を広げて全体で考える。

車は外で走らせるもの。遅かれ早かれ傷がつく。

最初から気にしてててもしょうがない。

むしろ、傷ついたおかげで、これから細かい傷を気にしなくて済む。

傷は自分が愛用してきた歴史と考えることもできる。

「新車買ったのに、早速傷がついちゃって、ハハ」と、話のネタや思い出が増えたと考えることもできる。

どんなことも、自分のたった数十年の一瞬の出来事に過ぎないわ。

そう考えたら、**イヤなことも小さなことに思えてくる。**

74

「イヤなことから逃げないほうがいい場合もある」

イヤなことが起きたとき、逆にしっかり向き合ってみるというのも一つの方法よ。

具体的に言うと、運悪く、イヤなことが起きてしまったと考えるのではなく、起こるべくして起きたと考えるの。

たとえば、知人にイヤなことをされたとき、運悪く裏切られたなんて考えたら、いつまでたってもモヤモヤするわ。

でも、起こるべくして起きたと考えれば、もともとこんな人だったのかもしれない、もともと二人のコミュニケーションに問題があったのかもしれないなどと、気持ちを切り替えて、分析や対策ができる。

世の中には、不条理なことがたくさんあるように見えるわ。

でも、**たいていは原因があって、起こるべくして起きている。**

それはつまり、自分にもなんとか対応できる可能性があるってことよ。

イヤなことに出くわしたとき、本能的に、逃げるという方法をとる人がいるわ。

時には逃げたほうがいいこともある。

でも、逃げることで余計ストレスになることもあるの。

そういう場合は、逆にしっかり向き合って、面倒くさくても相手ととことんまでやりあう。

そのほうがストレスが少ないかもしれないわよね。

逃げたほうがいいのか、逃げないほうがいいのか。それはケースバイケースなのよ。

イヤなことから逃げる癖のある人は、逃げる前に、逃げたら、逆にモヤモヤしないか、少しその先も考えてみたほうがいいと思うの。

75

「都合よく考えることで楽になれる」

人生いろんなことがあるわね。

時として、すごくつらいことや、困難なこともあるわ。

そんなときは、人生をゲームだと思うとちょっとマシになるかもしれない。

つらいことは、ゲームの課題だと思ってみる。

ゲームはクリアすることより、いかにクリアするか考えてトライする過程に面白さがあるわ。

だから、つらいことは自分というキャラへの課題と考える。このステージは難しいな、どのアイテムで、どう切り抜けるかな、とかね。

そして、無事につらいことを乗り越えたら、そのときは、これは現実だと自覚して、散々喜んでみる。

そんな都合よくって思うかもしれないけど、人生都合よくいかないことがいっぱいある。

せめて自分の気持ちの中だけでも都合よく生きてみてもいいんじゃない？

76

「どうしようもなくつらいときの乗り越え方」

何かどうしようもなくしんどくて、つらいとき。

誰だってあると思うのよね。

そういうときは「ただそこに存在することを目標にする」。

こう考えるとちょっと楽になるかも。

やらなきゃいけない、上手くやらなきゃいけない、なんて思うからしんどくなるわけで、
そういうときは、

ただそこに存在していれば、なんとかなるわよ

と、行動目標を最低限にしてみる。
それで、ふっと力が抜けることもある。
やわらかくいれば、つらいことを受け流せることもある。
たとえいまが死んでしまいたいほどつらいとしても、きっと時間が解決してくれるわ。
ただそこにいましょう。

77

「人生は、あるだけでもうけもんよ！」

思うようにいかず、つらい時期。

こういうときは上手くいっていたときを100として、そこから「あれもできない」「これもできない」と引き算で考えてしまうのよ。

次々と引いていくから自分の点数がどんどん下がって余計つらくなってしまうのね。

こういうときこそ、何もできないところから

〝足し算〟で考えていく。

基本はご飯を食べて、ちゃんと眠れていれば人間は幸せでいられる。

それに本も読めて、家で映画もみれて、お天気もよければ最高じゃない？
絶望してもこう考えましょう。

人生は、あるだけでもうけもん、もうけもん。

78

「過去をいまに持ち込まないで」

過去にいやがらせを受けて人間不信になってしまったアナタへ。

こういった状態から抜け出す方法を教えるわね。

まず、アナタに必要なことは現状の分析だわ。

もしかすると「過去のいやがらせのせいで自分は人間不信だ」という考え方にアナタがはまり込んでいて、かえってそこから抜け出せなくなっているからかもしれないのよ。

いまはいやがらせをされていないんでしょ?

もしかしたら、べつのことが原因でイライラしたり、眠れなかったりしているのかもしれない。

人は常にいまの行動しか変えられないわ。

「過去のせいで、自分が変わってしまった」というところで考えが止まってしまっていることもある。

いいえ、**〝いま〟はいつでも変えられるわ。**

79

「楽しいことをたくさん上書きして、イヤな記憶を埋めて」

よく、イヤな出来事も時間が忘れさせてくれると言うけど、その時間はどれくらいでしょうね。

早くイヤな記憶を忘れるためには、

①**離れる**

②**誰かに話してネタ化する**

③上書きする

が大切。

急にイヤなことを思い出したときは、楽しいことをやってください。楽しいこと、好きなことで頭がいっぱいになるように。

体を動かすのもいいわ。お気に入りの場所に行ったり、気の合う人と会ったりね。

感情を逃がす方法は、自分なりに普段からいくつか用意しておくといいわよ。

80

「イヤな思い出は放っておいて、良い思い出を取り出そう」

アナタの記憶の中には、イヤな思い出だけじゃなく、良い思い出もきっとたくさん入ってるはず。

何かが引き金になって、イヤな思い出が湧いてきたら、それは放っておいて、代わりに良い思い出を引っ張り出してくるのよ。

頭の中を切り換えて。

記憶を変えることはできないけれど、どの思い出を取り出すかは、アナタ次第。
良い思い出だけ思い出せばいい。
そのうちに、イヤな思い出は出てこなくなるわ。アナタにかまってもらえないからね。
悪いことを思い出すのは、同じ失敗をしたくないときだけでいいのよ。
アナタは思い出のストレスをコントロールできるわ。でしょ？

81

「それは必要なことだった、過去の自分を責めないで」

後悔——人生で繰り返し経験するのが、このなんとも言えない残念無念な気持ち。

自分の犯した過ちや失態が悔しかったり恥ずかしかったり。

なんであんなことをしたのかとズーンと落ち込んだり、自分を責めて自己嫌悪に陥っちゃう人もいるわよね。

望みが高い人なら、失敗とまではいかなくても、想定していた成功像とちょっとちがっただけでも後悔するんじゃ？

真面目な人ほど、悔やんでも悔やみきれないと、いつまでも引きずっているでしょう。

でも、過去の自分を責めるのはもうやめましょ。
結果的にだめだったとしても、当時のアナタにとっては必要なことだったのかもしれない。

いまに生かせるだけ反省したら、もういいじゃない？
前を向いて、未来のアナタを見て！

82

「「やらなきゃ良かった」って、やってみたから言えることよね」

アナタがしたことを見て、やらなきゃ良かったと人は言う。

「やらなきゃ良かった」ってコメントは、やる前には、やったほうがいいか、やらないほうがいいか、はっきりわからないことについての、事後の感想よね。

事前に悪い結果がわかっていたら、「そんなことするなんて馬鹿だな」「だから止めろといっただろ」とか言うからね。

ある程度、アナタにシンクロしてるのよ。「やらなきゃ良かったね」「そうね」って。
やってみなければ、どうなるかはわからない。
そういう類のことは、やってみていい。
だから**無駄なことなんかないわ。**
やってみなかったら、「やらなきゃ良かった」って言えないもの。
やらなきゃ良かったってことを学習した分だけ、アナタ、得したと思いなさい。
失敗は成功の元よ。

PART 12

気持ちいいこと存分にしていいのよ

疲れやストレスをぶっ飛ばす言葉

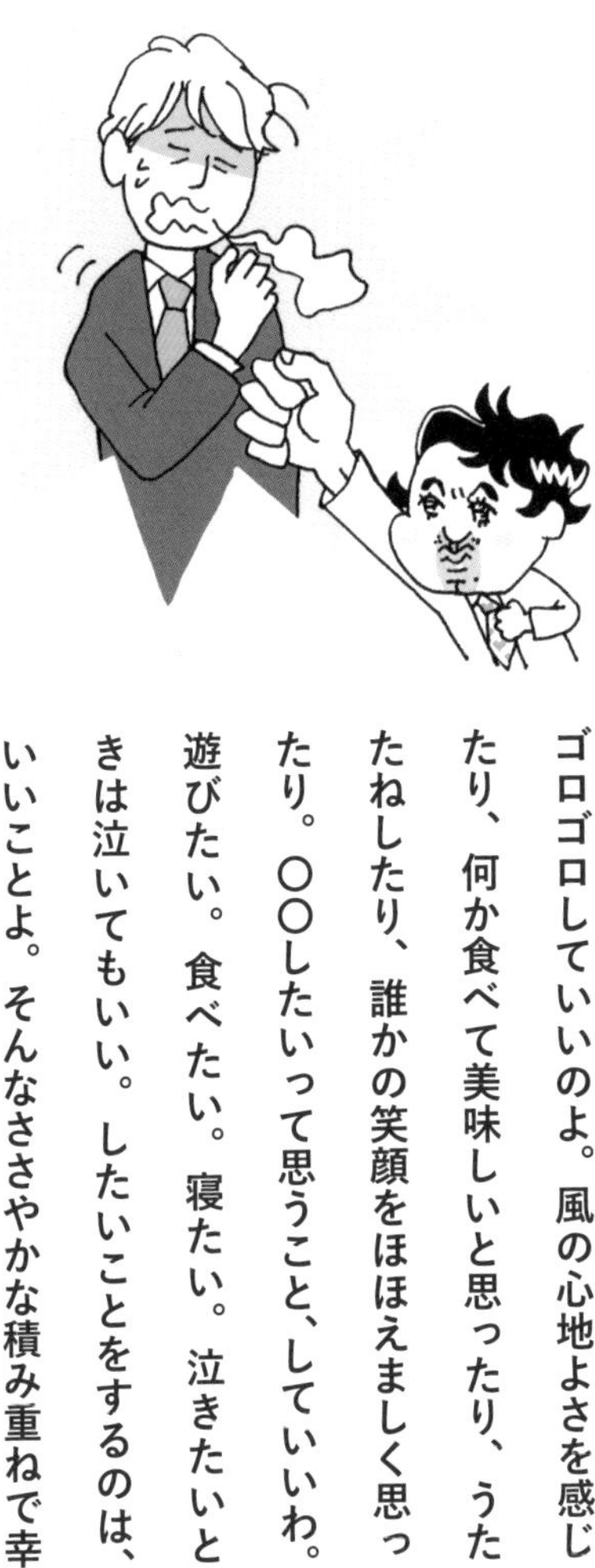

疲れてるときは、休みの日ぐらいは思う存分ゴロゴロしていいのよ。風の心地よさを感じたり、何か食べて美味しいと思ったり、うたたねしたり、誰かの笑顔をほほえましく思ったり。○○したいって思うこと、していいわ。遊びたい。食べたい。寝たい。泣きたいときは泣いてもいい。したいことをするのは、いいことよ。そんなささやかな積み重ねで幸せってできてると思う。あとはそれに気づいて、幸せだなぁって感じられれば最高！

83

「疲れたら星を見るの」

アテクシ、疲れたときは星を見ます。
星の寿命はとてつもなく長く、何十億年というレベル。
いま見ている星の光だって、何百年も前に出た光なのよ。
つまりそこに見えている星はもう存在していないかもしれない。
そんなことを考えていたら、アテクシたちの寿命なんて、一瞬にすらならないわ。
いま悩んでいる数ヶ月、数年の悩みなんて、あってないようなものよ。
そう考えたら、なんだか馬鹿馬鹿しくなる。

アテクシたちに与えられたわずかすぎる時間を、くだらないことで不愉快に過ごす必要なんてない。

そんな気分にさせられるのよ。
だから疲れたら星を見ましょう。

84

「呼吸で心を鎮める」

心を鎮める方法について話します。

精神医学的な方法ではないのですが、アテクシがよく使う方法です。

まず目を閉じて、口から**ゆっくり息を吐きだします。**吐ききれなくなったら、鼻から**ゆっくり吸います。**吸いきったら口からまた息を**ゆっくり吐きだします。**

これを数回やると、体がポカポカリラックスしてくるわ。

アテクシオリジナルではなく、友人から聞いたヨガの呼吸を応用したものです。

よかったらお試しあれ。

85

「次のことを考えて、気持ちの切り替えを」

気持ちの切り替え方について、具体的な方法を教えるわ。

人間の頭は基本的に、一つのことを考えているときは他のことを考えていないわ。

二つのことを同時に考えているように見えるときでも、実際には交互に二つのことを考えているはずなのよ。

だから**気持ちを切り替えるには、次のことをひたすら考える。**これだけで大丈夫。

またモヤモヤと前のことを考えそうになったら、すぐに次のことを考えるようにする。

この繰り返しで、徐々に気持ちも切り替わっていくわ。

86

「不安なときは動くのよ」

ここでは不安のコントロールについて書くわね。
不安というのは
はっきりしないものに対して抱く感情
です。
なので、対策方法としては、
いま、自分が不安になっているものを、なるべく具体的に、明確化させて考える
というのが大切よ。

「自分がいま、具体的に何に困っているのか」

よく考えてみましょう。

それがはっきりすれば、対策も考えられるわ。

そして、不安の全体像が見えてくると、気持ちもちょっと落ち着きます。

「なんとなく不安」を放置せず、極力具体化させて考える癖、これを普段から身につけておくといいわよ。

87

「やれることだけやれば不安は消えるわ」

不安というのは、受け身になっていると増えます。

将来どうなるんだろうとか、上手くいくんだろうかとか、コントロールできない状況があって、それに自分が飲み込まれているというイメージがあるときに不安が起きるのよ。

受け身になると、ひたすら状況を見守る「待つ」立場になるからよ。

待ち合わせでも、待つほうは

「いつ来るんだろうか」

「本当に来るんだろうか」

などと不安になるでしょ？
これを解消するには、自分からなるべく動くこと。
積極的に自分から動き、
「やれるだけのことはやった」
という実感が伴えば不安は減らせるわ。
普段から、能動的に動く習慣をつけてみましょう。

88

「「余計なことを考えなくていい状態」でいきなさい」

いまは何も不満も不自由もない、だけど、なんとなく不安がある。

何もないはずなのに、漠然とした不安があるとき、これはたいてい、

「そのうち悪いことが起きるんじゃないか」

という予期不安だったりするわ。

こういう不安は、

「いまは満足していて、特にやることがないとき」

に起きることが多いわ。

なので、**「余計なことを考えなくていい状態」を作る**のがいいわね。

たとえば何か目標を作って、それに向けて努力をするという状態を作ることがオススメよ。

「英語を上達させる」「料理上手になる」「ダイエットに挑戦する」などね。

次の目標があるときって、人間は不安になりにくいの。

89

「愚痴は依存症！」

ついつい愚痴を言いたくなるってことあるわよね。
でもあまりグチグチいっている人は魅力的じゃない。
やめようと思ってもなかなかやめられないのが愚痴だと思うわ。
実は愚痴は依存です。
愚痴を言うと、ちょっと気持ちが一時的にスッキリする。
ちょっと愚痴を言うと、もうちょっと言いたくなる。
その繰り返し。

だから、お酒と一緒で、一回言い始めると収集つかなくなるの。

依存をやめるとき、どうするか。

「なるべく減らそう」

じゃなくて
「一切やめよう」

と考えないと依存は治らないのよ。

なので、愚痴を減らしたいのなら、

一切愚痴を言わない
ぐらいの意識をもつといいわ。

うっかり言っていたら、「いかんいかん、これは愚痴だ」とストップ。

この繰り返しで愚痴は減るわ。

愚痴を言わなくなると、不思議とポジティブになれることが多いわ。

愚痴は必要!!と思い込まず、いっそのこと一切止めてみるのも案外いいわよ。

90

「つらいときを乗り切るには、自分にエールを送ってみて」

世の中、いいことだらけじゃない。アテクシは、つらいとき、大変なとき、次のように自分に言い聞かせて乗り切るようにしています。

なあに、これさえ乗り切れば、自分の人間力があがるんだもの。

何が起きたって、自分が成長する機会だと思えば、なんとかやっていける。

楽しいときは楽しめばいい。大変なときは、成長できると思えばいい。

自分へのエール、これで、どんなときも乗り切っていくわ。

91

「そんなに凹むこともないって」

凹まないコツ、それは、アナタの視点を変えること。

大事なことは、物事をいろんな角度から見る癖をつけること。

どんな物事も、いい面と悪い面がある。

凹んだ時は、自分の思い通りにならなかったというだけで、必ずしも悪い結果とは限らないのよ。

そう考えると、そんなに凹むこともないって思えるようになるわ。

92

「感情のコントロールをマスターしましょう」

感情のコントロールって、難しそうでしょ。

このどこにあるかわからない、勝手に湧いてきて心を支配するものを、逆にこっちがコントロールして支配するって。

でも、ちょっとしたコツでできるから、お教えするわ。

これまで受け身オンリーで自分の感情に振り回されていた人も、感情を操作できるようになって精神衛生を改善してね。

はじめに、覚えておいてほしいこと。

感情の基本は、**「同じ感情はずっと続かない」**です。
感情は波があるので、「最悪の気分」が何日も続くことはあまりないわ。
ほとんどの場合、数分のことです。
なので、いずれは落ち着くと思っていれば、やり過ごしやすくなるわ。
また、**快と不快な感情は両立しない**ことが多いわ。
つまり、「気持ちいい」と感じながら「気持ちが悪い」と感じることはないの。
だから、不快なときには、自分が快適だと思うことをすればいいのよ。
感情は制御できないと思い込まないで、意識的に感情を転がしてみて。

93

「幸せは溢れてる、見つけていきましょうよ」

ありふれた幸せと言うけれど、そもそも幸せって、ありふれているものなんだわ。皆誰もが手にすることができる、そういうものに幸せ感じるように私たち作られている。ありふれた形のものを幸せと呼んできた先人のおかげね。お父さん、お母さん、お祖父さん、お祖母さんの口が、ありふれた幸せを伝えてくれた。

そして不幸せのほうが非日常のことのように言う。

運が悪かった、厄年だ、こういう日もある、100年に一度の災いだ、と。

100年に一度の幸せだ、とは聞かないでしょ。

幸せはもっと普通にあるものって、みんな受け止めているから。
あとは、**ありふれた幸せを見つけさえすればいいわ。**
世の中は幸せで溢れているわ。
でもそうじゃないものでも溢れている。
幸せを見つけていこうとしないと、そうじゃないものしか視界に入らないのよ。

94

「言葉はネガティブでも、アナタへの思いはポジティブよ」

一見ネガティブに見える言葉にも、ポジティブなものがあるわ。

アナタのことを考えて、痛みを伴いながら発してくれる言葉は、実はとてもポジティブなの。

そんな言葉を発してくれる人がいたら、誰よりも大切にしましょう。

アナタの考えや行動が間違っているときに、それをちゃんと言ってくれる人は、アナタとこれから先もつきあっていきたいと思ってる人。アナタのサポーターよ。

アナタの仕事や成績に、いちいちいちゃもんつける人って、実はアナタを奮起させていたりしない？

否定的なコメントを言われたら、言った相手が誰のために言ってるのかってことを見極めて。

自分のために相手のダメ出しをする人は、「アナタがしたことはダメ、それはアナタがダメだから」っていうロジックが底にある。相手を下げて、自分を上げたいっていう、自分の欲求がある。

相手のためにダメ出しする人は、「アナタがしたことはダメ、でもアナタはもうそれをしない」という信念で忠言する。

言葉の後ろにあるものが、ネガかポジかを見てね。

95

「イライラしないで肩の力抜いてみて！」

「何をしても上手くいかない」って思うときがあるわよね。

こういうときは、焦りと執着が邪魔をしていることがあるわ。

なにがなんでも今回は失敗したくない。

今回は逃したくない。

気持ちはわかるけど、あまり焦りや執着があると、そっちにエネルギーがとられて、イライラや不安を呼ぶ。

そのため、アナタの実力が発揮できず、上手くいかないこともあるわ。

なので、
たまには肩の力を抜いて、
はい、これね〜、やりましょ〜
やるだけやったから、後はなるようになるわ〜
ぐらいさらっとしてると、かえって上手くいくことも多いわよ。

96

「「そんなん、知るか！」」

アテクシの父に悩みを相談すると、笑いながらいつもこう答えてくれた。

「そんなん知るか！」

乱暴なようだけど、意外と楽にしてくれる不思議な言葉。

悩み事を一緒につらつら悩んでくれて、アテクシの暗い気持ちに寄り添ってくれるのも、ありがたい。

悩みの解決法をこんこんと説き、アテクシの暗い気持ちを明るく照らしてくれるのも、助かる。

でも実は、心が強さを求めてるってときは、悩みを吹き飛ばしてくれる力が欲しい。
勢いよく、暗い気持ちをポーンと放りやるような。

「そんなん知るか！」

これを言える人ってなかなかいない。
言ってもらえることも、なかなかない。
アテクシ、クヨクヨしそうなときは、自分で自分に言ってやる。

そんなん、知るか！

97

「やっぱり読書よね、しんどいときは」

アナタの好きな本は？

その本は、アナタにとって、どんな存在？　友達？　恋人？　先生？　それとももう一人のアナタ？

アナタが行き詰まったとき、その本を開いてみて。

親しく語りかけてくるわ。馴染みの言葉で、アナタがその中に見つけた良さを、思い出させてくれる。

新しい本と出合うのもいい。

アナタが知らなかった世界が、そこにあるわ。ストレスで塞いだ心に穴を開け、外の風を入れてくれる。

やっぱり大変な時期はね、読書がいいのよ。

本は裏切らないし、いつでも寄り添ってくれるし。

純文学なんかどうかしら。調子がいいときには、重そう、暗そう、と敬遠しがちだけど、いまなら気が滅入る心配はないわ、すでに滅入ってるんだから。

こんなときだからこそ、過去の名作を。

読書する余裕がない、なんて自分を追い詰めないで、途中で読めなくなってもオーケー、とりあえず表紙を開いてみて。

98

「傷ひとつ分、賢くなったわね」

傷ついたときの対処方法。傷ついたとき、悪いことが起きた、と考えると、それは不運だとしか思えないわ。でも、物事には必ず二面性がある。

傷ついたとき、一つ賢くなった、と捉えればいいわ。

人に傷つけられれば、「この人はこういう人だったんだ」って気がつくことができた、と。

他人から注意を受けたら、自分の欠点を知ることができた、と。

傷ついて、その傷が治ったあと人は強くなれる。

だから、**傷ついたら、一つ賢くなった、**と考えましょう。

99

「『かわいい』には気分を上げる効能あり」

1日に1個はかわいいものを見つけて、「かわいい！」って盛り上がる。

ちょっと楽になるわよ。

周りをキョロキョロ見回して探すもよし、ネットで検索するもよし、思わぬところで偶然見つけることもあるかも。まして、自分で作れちゃったりしたらもうご満悦の極みね。

アテクシの最近の「かわいい」は、帰りが遅くなるとふてくされるうちのインコ。

突然みかんをくれた近所のおばあちゃん。

もう14歳なのに「アン」と鳴く実家のワンコ。などね。

100

「後回しはダメよ！」

どうせやらなきゃいけない予定は、早めにやったほうがいいわよ。

後回しにすると心配事や不安が増えるもの。

やらなきゃいけない期日までの間、ずーっと、何日まで〇〇やらなきゃいけないなぁ、って、心にのっかってるでしょ。

ちょっとしたストレス。

やりたくないことも後回しにしがちだけど、実行を延ばせば延ばすほど、その間、やりたくないなぁ、ってモヤモヤが心にかかってるでしょ。

けっこうなストレス。

でもこれ、予定がちゃんと頭に残ってる真面目な人向けのアドバイスかしら。やらなきゃいけないことを、ギリギリまで思い出さないっていう便利な頭もあるようで。アテクシの知り合いに、皿は食べる前に洗うという人がいるわ。納税も期間終了間際に払い込む、と。それまでに何が起きるかわからない、不測の事態で、やったことが無駄になってしまうかも、という頭の持ち主。確かに、時々、仕事でもあるわよね。納期よりだいぶ先に仕上げて納品日まで寝かせていたら、突然仕様変更になったりして、ね。

まあでも、**やらなきゃいけない予定は早めにやって、スッキリしちゃう**のがいいとアテクシは思います。

ストレスをぶっ飛ばす言葉
心がスッキリする100のアドバイス

2021年3月15日　初版第1刷発行

著者　精神科医Tomy
発行者　笹田大治
発行所　株式会社興陽館
〒113-0024
東京都文京区西片1-17-8 KSビル
TEL 03-5840-7820　FAX 03-5840-7954
URL https://www.koyokan.co.jp

装丁　金井久幸＋横山みさと[TwoThree]
カバー・本文イラスト　カツヤマケイコ
校正　結城靖博
編集補助　渡邉かおり＋久木田理奈子
編集人　本田道生

印刷　惠友印刷株式会社
DTP　有限会社天龍社
製本　ナショナル製本協同組合

ISBN978-4-87723-270-2 C0030

こころを軽くする言葉
対人関係の不安を消す

アルフレッド・アドラー　著
長谷川早苗　翻訳
星野 響　構成

本体 1,400円+税
ISBN978-4-87723-269-6 C0011

アルフレッド・アドラーの名言集。

「心の毒がスーッと消えて、いまの自分のままで生きられる」

過去の傷を断ち切り、あなたのまま、自分らしく生きるためのメッセージ集。

アドラー心理学のエッセンスがこの一冊に！